KB195843

21세기 국어의 굴곡법연구

-종결어미-

김승곤 지음

㈜ 박이정

서 설

학문을 하려면 적어도 자기 전문분야는 다 밝혀야 한다. 그래서 글쓴이는 우리문법을 연구한답시고 지내 왔던 시간이 너무 아까워서 정년 후에 한글학회에서 간행한 우리말사전에서 국어의 의존명사를 모두 찾아서 분류하여 한 권의 책으로 내었으며 대명사도 다 찾아서 형태론에서 밝혔으며 관형사도 모두 찾아내어 형태론에서 밝혔다. 그리고 형용사(일만 이천여 단어) 및 부사(이만삼천 이백여 단어)를 모두 찾아 형용사분류연구 및 부사분류연구의 저서를 간행하였고 감탄사도 모두 찾아 분류하여 조그마한 책자를 간행하였다. 왜냐하면 모든 것을 다 알아야 하는 까닭이었다. 우리나라 대표적인 외솔의 "우리말본"이나 눈뫼의 "20세기 우리말의 형태론"에서 보면 위에서 말한 품사들에 대한 분류나 설명이 부분적인 것에 지나지 않아 의문이 갔기 때문이었다. 그것뿐이 아니고 굴곡법에서 용언의 연결형어미 분류도 마찬가지여서 글쓴이가 앞의 사전에서 모두 찾아보니 그 수가 엄청나게 많아 일일이 분류하는 데 애를 먹었다. 이제 다음에서 외솔, 눈뫼 대선학의 책에서 다른 연결어미가 몇이나 되는지 알아보기로 하겠다.

「우리말본」

매는꼴(29) 놓는꼴(18) 버림꼴(18) 풀이꼴(10) 견줌꼴(2) 가림꼴(3) 이달음꼴(1) 그침꼴(2) 덧보탬꼴(1) 더해감꼴(1) 뜻함꼴(3) 목적꼴(1) 마침꼴(1) 되풀이꼴(1) 등 91개 씨끝이 설명되어 있다.

「20세기 우리말의 형태론」

(1) 딸림성 (종속성) : –느, –는데

ㄱ. 약 있음 :–니

약 없음 :–아도

ㄴ. 마땅함 : 원인, 조건, 이유 등의 어미

뒤집음 : 당연히 응당있을 수 있는 예측을 뒤엎는 어미

(예) –아도

(2) 맞섬 : 가림 : –거나

겹침 : –든지 -고 -면서　한때 : –며, –면서

차례 : –고, –다가, 자

여기서는 어미는 예로 들지 아니하고 연결어미의 대표적인 예를 보이는데 그치고 있다. 이와 같은 방법에 따라 연결어미를 분류하면 된다는 원리(방법)를 설명한 것으로 보인다. 글쓴이가 통계를 낸 연결형어미는 312개가 된다. 이 숫자는 정확하지는 않아도 대충 그렇게 되리라 본다.

우리말본에서는 연결어미를 매는꼴, 놓는꼴, 나란히꼴, 풀이꼴, 견줌꼴, 가림꼴, 잇달음꼴, 어침꼴, 되풀이꼴 등으로 나누어 그 각 꼴에 해당되는 어미 하나하나에 대하여 자세히 치밀하게 설명하고 있어 놀라울 정도이다. 그러나 이번 통계에 의하면 연결형어미가 너무 많아 뜻에 따라 58종류로 나누고 그에 따른 어미 하나하나에 대하여 설명하기로 하겠다.

머리말

글쓴이는 일찍이 정인출판사에서 「21세기 국어 이음씨끝 연구」를 간행한 일이 있으나 그 분류법이나 연결어미의 수가 그리 많지 않아 이번에 한글 학회에서 간행한 「우리말 사전」에서 연결어미를 모두 조사하여 보니까 그 수가 307개로 나타났을 뿐 아니라 의미적으로 분류하여 보니, 종류도 쉰두 가지에 이르러 완전한 연구를 하여야 하겠다는 생각에서 다시 이 책을 내게 되었다. 아시다시피 연결어미 가운데는 하나의 어미, 예를 들면 「-고」는 아홉 가지 뜻으로 쓰이는가 하면 예사로 네 가지, 다섯 가지 정도의 뜻으로 쓰이는 어미가 많아 분류하는 일이 쉽지 아니하였다.

연결형어미는 ㄱ부터 ㅎ부까지에만 있고 ㅈ부에서는 한 가지가 있을 뿐이고 ㅈ부터 ㅇ부까지는 연결형어미가 없다. 예문을 드는 경우에 뜻이 아주 생소한 것은 사전에서 예로 든 것을 그대로 따랐고 많은 예문은 사전의 것을 그대로 인용하였다. 이 책도 완전한 연결어미의 분류를 이루었다고 할 수 없다. 앞으로 더 철저히 분류하여 연결어미에 대한 완전한 저서가 나오기를 기대한다.

끝으로 이 책을 출판하여 주신 사장님과 관계하여 수고하신 여러분께 머리 숙여 절하는 바이다.

2020년 9월

차례

제 1 부 종결형어미

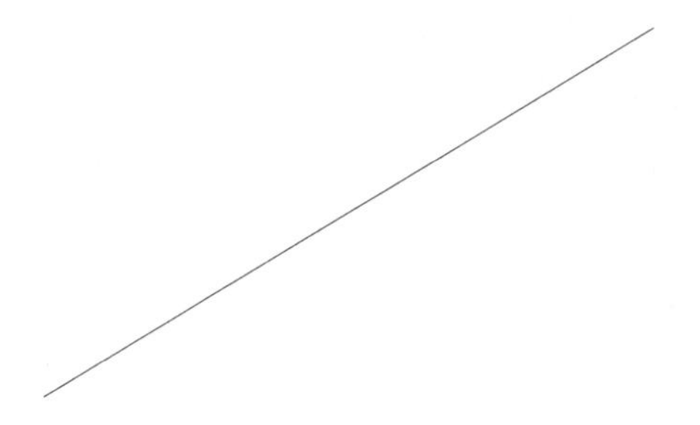

여기에서는 우리말 사전에 실려 있는 모든 어미를 통계 내어 높임의 등분에 따라 나누어 자세히 설명하기로 하겠다.

지금까지의 형태론에서는 종결어미의 일부만 가지고 논하였으나 그래서는 완전한 형태론이 되지 못하는 까닭에 종결형어미 전체를 빠짐없이 다 찾아내어 다루었으니 읽을 이 여러분의 이해를 바란다.

제1장 종결어미의 활용 범주

우리말 용언의 어미는 문장에서의 문법적 기능에 따라 몇 가지 범주로 나누어진다.

(1) ㄱ. ㉮ 철수는 학교에 간다.
　　　㉯ 철수는 학교에 가느냐?
　　　㉰ 철수는 학교에 가거라.
　　　㉱ 철수는 학교에 가자.
　ㄴ. ㉮ 상을 받음이 쉽지 않다.
　　　㉯ 우리가 먹을 밥을 주시오.
　　　㉰ 그는 날이 새도록 자지 않았다.
　ㄷ. ㉮ 밥을 먹고 학교에 간다.
　　　㉯ 비가 오는데 일을 한다.
　　　㉰ 길을 가면서 책을 읽는다.

(1ㄱ) 의 밑줄 그은 어미들은 문장을 끝맺는 한 가지 구실만 하고 (1ㄴ)의 밑줄 그은 어미들은 풀이하는 구실과 함께 명사, 관형사, 부사처럼 작용하는 두 가지 구실을 하고 있다. (1ㄷ)의 밑줄 그은 어미들은 앞 절을 뒷 절에 이어서 앞뒤 절과 합하여 하나의 문장을 이루는 구실을 하고 있다. (1ㄱ)과 같이 문장을 끝맺는 굴곡법을 종결법이라 하는데 종결법은 말할이의 들을이에 대한 의향(태도)을 나타내므로 달리 의향법이라고도 한다.[1] (1ㄴ)과 같이 서술어의 구실을 하면서 명사, 관형사, 부사의 두

1) 허웅, 『국어학』, 샘문화사, 1983, 225쪽 참조.

가지 구실을 하는 굴곡법을 연결법이라 한다. 종결법, 자격법, 연결법을 이루는 어미들은 그 이상 다른 어미를 그 뒤에 연결시킬 수 없으므로 종결어미라 하고 '-시-', '-었-', '-겠-', '-더-' 등과 같이 어근 바로 다음에 와서 그 뒤에 종결어미를 더 연결시킬 수 있는 어미를 선어말어미라 한다.

(2) ㄱ. 아버지께서는 글을 읽으시었다.
ㄴ. 비가 많이 오겠더냐?

(3) ㄱ. 사랑을 받음이 무한하다.
ㄴ. 먹을 것을 주시오.
ㄷ. 밤이 새도록 공부하였다.

(2ㄱ-ㄴ)의 밑줄 그은 부분의 어미가 선어말어미이다. 종결어미 중 종결법과 연결법은 문장을 끝맺거나 앞 절을 뒷 절에 이어주는 구실만 수행하기 때문에 한자격법이라 하고 (2ㄴ)과 같이 풀이의 구실과 아울러 체언, 수식언의 두 가지 구실을 겸해서 가진 어미범주를 두자격법이라 한다.

한자격법에서의 종결법과 연결법의 다른 점은, 종결법은 말할이의 들을이에 대한 의향(태도)을 나타낸다. 따라서 종결법은 말이 쓰이는 환경에 관여하는 문제를 제기하게 된다. 그러나 연결법은 다음 말과의 이음관계를 나타내므로 순수히 통어상의 문제에 그친다. 두자격법은 (3ㄱ)의 '받음'처럼 체언의 자격을 겸해 가지는 것을 명사법이라 하고 (3ㄴ)의 '먹을(는)'과 같이 관형어의 자격을 겸해 가지는 것을 관형법, (3ㄷ)의 '새도록'처럼 부사어의 자격을 가지는 것을 부사법이라고 한다. 종결어미의 활용 범주[2]를 표로 보이면 다음과 같다.

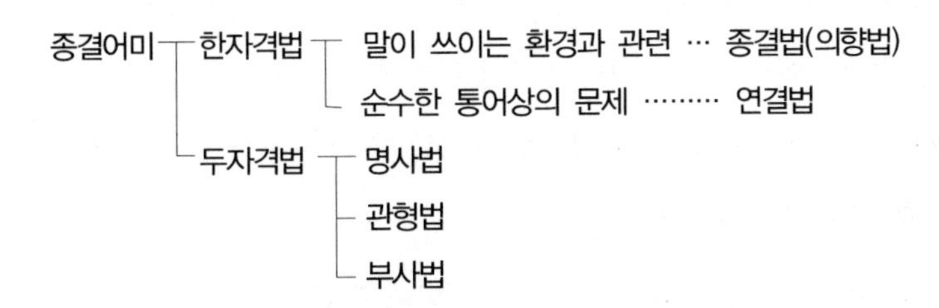

위에서 연결법과 의향법의 차이를 간단히 말하였지마는 이 두 법의 문법적 차이를 더 자세히 밝혀 보면 다음과 같다.

첫째, 의향법(종결법)은 말이 쓰이는 환경과 관련이 있으나 연결법은 순수한 통어상의 문제임은 이미 앞에서 말하였다. 둘째, 의향법은 들을이에 대한 공경의 태도가 나타나나, 연결법에는 그러한 것이 나타나지 않는다. 셋째, 의향법에는 선어말어미 '-시-, -었-, -겠-, -더-' 등이 쓰이어 대우법과 때마김법이 나타나는데 연결법에는 '-시-'는 비교적 제약 없이 쓰이나 '-었-, -겠-, -더-' 등은 상당한 제약을 받는다.[3] 이와 같은 차이가 있으므로 연결법을 종결법의 하위범주인 서술법의 범주에 넣어 동일하게 다루는 것은 옳은 태도가 아니다.

2) 위의 책, 224쪽에 의거함.
3) 이에 대하여는 이음법을 다룰 때 자세히 논할 것이다.

1. 종결법(의향법)

종결법은 들을이에 대한 말할이의 태도에 따라 크게 두 가지로 나눈다. 하나는 들을이에 대하여 어떠한 요구를 하는 일이 없이 자기의 의견이나 느낌을 나타내거나 또는 약속을 하면서 문장을 끝맺는 방법인데 이러한 법을 서술법이라 한다. 다른 하나는 말할이가 들을이에게 무엇을 요구하면서 문장을 끝맺는 법인데 이에는 다시 대답을 요구하나, 어떤 행동을 요구하나에 따라 두 가지로 나눈다.

대답을 요구하는 법을 의문법이라 한다. 어떤 행동을 요구하는 법은 들을이의 행동을 요구하는 법과 말하는 자신과 어떤 행동을 들을이가 함께 하기를 요구하는 법으로 나누어진다. 앞의 것을 명령법, 뒤의 것을 권유법이라 한다.

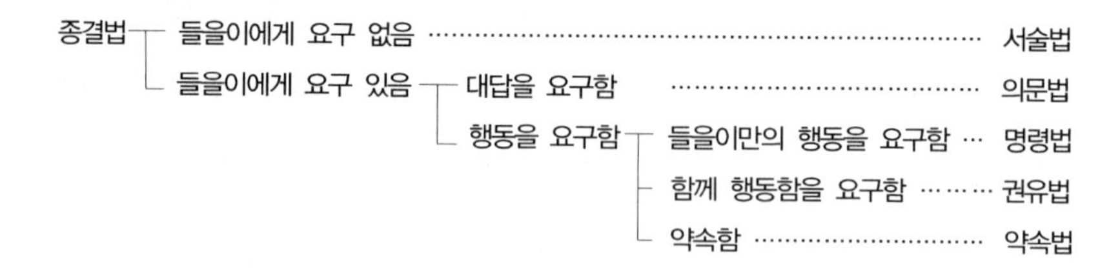

종결법은 들을이 대우법에 따라 실현된다.

종결법은 말할이의 들을이에 대한 태도를 나타내므로 종결법에는 들을이에 대한 공경의 태도가 아울러 나타나는데 이것을 “들을이 대우법”이라 한다.[4] “들을이 대우법”에는 들을이를 대우하는 등분에 따라 극비칭, 보통비칭, 보통존칭, 극존칭, 반말4)의 다섯 가지 등분이 있다.[5]

• 극비칭

(1) 「-구먼/-구만」 : 혼잣말에서 느낌이나 깨달음 따위를 베풀어 나타내는 어미.

ㄱ. 비가 왔구먼.

ㄴ. 비가 오겠구만.

ㄷ. 내일은 눈이 오겠구먼.

ㄹ. 철수가 오늘 오겠그먼.

ㅁ. 날씨가 좋구만.

(2) 「-군」 : 「-구나」의 준말.

ㄱ. 꽃이 아름답게 피었군.

ㄴ. 벌써 오정이군.

ㄷ. 그가 벌써 왔군.

ㄹ. 비가 너무 많이 왔군.

• 보통비칭

(1) 「-ㄹ진저」 : 받침 없는 동사나 「이다/아니다」에 붙어 '마땅히 하여야 할 것이다', '-일 것이다'의 뜻으로 정중한 글에 쓰인다.

ㄱ. 그것이 바로 노력한 결과일진저.

ㄴ. 나라와 겨레를 사랑할진저.

---

4) 허웅, 앞의 책, 225~225쪽 참조.

5) 반말의 어미에 관해서는 권유법 다음에 가서 한꺼번에 다룰 것이다.

(2) 「-ㅁ직하다」

ㄱ. 이 떡은 먹음직하다.

ㄴ. 그는 믿음직하다.

ㄷ. 이 책은 읽음직하다.

나. 보통존칭

(1) 「-으려오」 : 「-으려 하오」의 준 것

ㄱ. 나도 같이 먹으려오.

ㄴ. 공부하려오.

ㄷ. 여기서 살려오.

(2) 「-으 오리다」 : 종결어미 「-으리다」를 겸손하게 나타내는 말

ㄱ. 구하면 얻으오리다.

ㄴ. 그 꽃은 남쪽 지방에 많으오리다.

ㄷ. 여기에 그냥 있으오리다.

• 극존칭

(1) 「-나이다」 : 매우 정중한 태도를 띠는 서술형 종결어미

ㄱ. 용서를 비나이다.

ㄴ. 소식 듣고 기쁘게 생각하고 있나이다.

ㄷ. 그런 적이 있나이다.

ㄹ. 그분이 아니었나이다.

(2) 「-는 답니다」 : 「-는다 합니다」의 준말

ㄱ. 그는 서울 간답니다.

ㄴ. 영미는 이사한답니다.

ㄷ. 소가 죽을 잘 먹는답니다.

ㄹ. 금강산은 매우 아름답답니다.

(3) 「-더이다」 : 어간에 두루 붙어 지난 사실을 돌이켜 생각하여 정중하게 예스럽게 말할 때 쓰이는 종결어미

ㄱ. 그는 잘 있더이다.

ㄴ. 철수는 잘 살더이다.

ㄷ. 참아 눈뜨고는 볼 수 없더이다.

ㄹ. 그 새가 "비오리"라는 새이더이다.

ㅁ. 그는 처리를 잘 하겠더이다.

(4) 「-더랍니다」 : 「-더라 합니다」의 준 말

ㄱ. 순이는 집으로 가더랍니다.

ㄴ. 그는 노루를 보았더랍니다.

ㄷ. 일을 잘 해 내겠더랍니다.

ㄹ. 상이 아주 크더랍니다.

ㅁ. 그 산이 아주 높더랍니다.

2. 서술법

이에는 극비칭, 보통비칭, 보통존칭, 극존칭, 반말의 구별이 있는데 이

에 대하여 설명하기로 하겠다.

• 극비칭

이에는「-구먼/-구만」,「-군」,「-느니」,「-느니라」,「-는거댄다」,「-는가 보다」,「-는감」,「-는갑다」,「-을걸」,「-는걸」,「-는구나/-는군」,「-는구먼」,「-는다」,「-는다고」,「-는다니까」,「-는단다」,「-는담」,「-는다네」,「-니까니」,「-ㄴ니라」,「-ㄴ다지」,「-는데」,「-다」,「-다나」,「-는다네」, 「-다는데」,「-데」,「-다니까」,「-단다」,「-는대」,「-더구나」,「-더니라」,「-더라」,「-더라니」,「-더라니까」,「-더래」,「-라」,「-련다」,「-로구나」,「-로구먼/-로군」,「-로다」,「-리」,「-리니라」,「-리로다」,「-리라」,「-ㄹ거나」,「-ㄹ래」,「-ㄹ까말까」,「-ㄹ까보다」,「-ㄹ께」,「-을라」,「-ㄹ러라」,「-ㄹ레」,「-ㄹ레라」,「-ㄹ세라」,「-ㄹ지니라」,「-로진저」,「-ㅁ직하다」,「-어야지」,「-을거나」,「-으니」,「-으니까」,「-을러라」,「-을레」,「-으려니」,「-렸다」,「-으리」,「-으리니라」,「-으리라」,「-은가보다」,「-은걸」,「-으리로다」,「-을지니라」,「-을지라」,「-ㄹ게」,「-을세」,「-네」,「-니라」,「-는다네」,「-ㄴ지」,「-라네」,「-려네」,「-을지(?)」,「-ㄴ다」,「-람」,「-러니라」,「-러라」,「-려더라」,「-렷다」,「-련다」,「ㅁ에라」,

• 보통비칭

「-하네」,「-네」,「-데」,「-ㄹ세」,「-로세」,「-어」,「-으려네」,「-으련다」,「-으이」,「-으니」,「-을세」,「-의」,「-는다오/-ㄴ다오」,「-ㄴ대

요/-는대요」, 「-다오」, 「-다네」

• 보통존칭

「-답니다」, 「-더이다」, 「-라도」, 「-리다」, 「-읍죠/ㅂ죠」, 「-ㅂ지요/-지요」, 「-쇠다」, 「-어요/아요」, 「-외다」, 「-요」, 「-으리다」, 「-으리다(중복?)」, 「-으로리오」, 「-으오리다」, 「-으오리이다」, 「-으오이다」, 「-으외다」, 「-소」, 「-는구려」, 「-다나(요)」

• 극존칭

「-나이다」, 「-는답니다」, 「-는답디다」, 「-댔습니다」, 「-더니이다」, 「-더랍니다」, 「-더랍디다」, 「-더이다」, 「-렸니다」, 「-랍니다」, 「-ㅂ니다」, 「-사오이다」, 「-사외다」, 「-사옵나이다」, 「-사옵니다」, 「-사옵디다」, 「-습니다」, 「-으옵니」, 「-으옵디다」

가. 극비칭

(1) 「-구먼/-구만」 : 혼잣말에서 느낌이나 깨달음 따위를 베풀어 나타내는 어미.

ㄱ. 비가 왔구먼.
ㄴ. 비가 오겠구만.
ㄷ. 내일은 눈이 오겠구먼.
ㄹ. 철수가 오늘 오겠그먼.
ㅁ. 날씨가 좋구만.

(2) 「-군」 : 「-구나」의 준말.

ㄱ. 꽃이 아름답게 피었군.

ㄴ. 벌써 오정이군.

ㄷ. 그가 벌써 왔군.

ㄹ. 비가 너무 많이 왔군.

(3) 「-느니」 : 경험을 바탕으로 생각하는 바의 사상을 일러 주는 뜻을 나타낸다.

ㄱ. 날씨가 무더우면 비가 오느니.

ㄴ. 조금만 더 가면 주막이 있느니.

ㄷ. 모른다고만 할 수 없느니.

ㄹ. 저기가 전에는 눈이었느니.

(4) 「-느니라」 : 경험을 나타내는 어떤 사상을 일러 주는 뜻을 나타낸다.

ㄱ. 그래서는 안 되느니라.

ㄴ. 밖에 또 여러 가지가 있느니라.

ㄷ. 그런 법은 없느니라.

ㄹ. 그 분은 참으로 훌륭한 분이었느니라.

(5) 「-는댄다」 : 「-는다 한다」의 준말.

ㄱ. 네가 책을 읽는댄다.

ㄴ. 그가 시험에 합격하였댄다.

ㄷ. 네가 유학을 간댄다.

ㄹ. 너는 집에 있는댄다.

(6) 「-는가보다」 : 「-는가」에 본동사 「본다」가 붙어서 추측의 뜻을 나타낸다.

ㄱ. 그는 가는가보다.
ㄴ. 영미는 돈이 없는가보다.
ㄷ. 그는 집에 있는가보다.
ㄹ. 그가 아니었는가보다.

이 어미의 준 말은 「-는갑다」로 된다.

(7) 「-는감」 : 「-는가 뭐가」 줄어서 된 말.

ㄱ. 누가 그를 모르는감.
ㄴ. 그게 여태 남아 있는감.
ㄷ. 누가 보았는감.
ㄹ. 거기에 누가 또 가겠는감.

(8) 「-는갑다」 : 「는가 보다」의 준말. 추측의 뜻을 나타낸다.

ㄱ. 그는 돈이 없는갑다.
ㄴ. 저이는 부잔갑다.
ㄷ. 서울은 비가 오는갑다.
ㄹ. 이 음식은 맛있는갑다.

(9)「-는걸」:「-는 것을」의 준말. 스스로 느끼어 말하거나 상대에게 어떤 사상을 알게 하는 태도로 말하는 어미.

ㄱ. 힘이 꽤 센걸.

ㄴ. 돈을 다 써 버린걸.

ㄷ. 선생님께서 안 계신걸.

ㄹ. 그는 내 친구인걸.

(10)「-는구나」: 현재를 나타내는 종결어미. 준말은「- 는군」.

ㄱ. 그는 가는구나.

ㄴ. 너는 예쁘구나.

ㄷ. 글이 잘 보이는구나.

ㄹ. 서울은 살기 좋구나.

(11)「-는구먼/-는구면」: 준말은「-는군」.

ㄱ. 그는 부자이구먼.

ㄴ. 눈이 오는구먼.

ㄷ. 그는 가는구먼.

ㄹ. 오늘은 따뜻하구먼.

(12)「-는다」: 움직임의 현재 서술을 나타내는 어미.

ㄱ. 어린이가 유치원에 간다.

ㄴ. 아이가 밥을 잘 먹는다.

ㄷ. 나는 등산 간다.

ㄹ. 소가 풀을 잘 먹는다.

(13) 「−(는)다고」 : 다짐의 뜻인 어미.

ㄱ. 감기를 앓는다고.

ㄴ. 그는 잘 있다고.

ㄷ. 철이는 미국 간다고.

ㄹ. 어린이가 착하다고.

(14) 「− 는다니까」 : 「− 는다 하니까」의 준말.

ㄱ. 그는 매일 등산한다니까.

ㄴ. 오늘은 경칩이라니까.

ㄷ. 영수는 잘 산다니까.

ㄹ. 그는 콩을 심는다니까.

(15) 「−는단다」 : '−는다 한다」의 준말.

ㄱ. 그는 서울 간단다.

ㄴ. 그는 돈을 번단다.

ㄷ. 장미꽃이 아름답단다.

ㄹ. 서울은 살기 좋은 곳이란다.

'−이다/아니다'가 서술어가 될 때는 '−란다'로 된다.

(16) 「−는담」 : 「−담」이 받침 있는 어간 다음에 쓰이는 경우.

ㄱ. 무슨 글을 그렇게 읽는담.

ㄴ. 밥을 너무 많이 먹는담.

ㄷ. 개가 잘 짖는담.

ㄹ. 무엇을 그리 웃는담.

(17) 「-니까니」 : 「-니까」의 제주방언.

ㄱ. 그는 있다니까니.

ㄴ. 세월이 너무 빨리 간다니까니.

ㄷ. 제주는 살기 좋은 곳이라니까니.

(18) 「-는다지」 : 「-는다 하지」의 준말.

ㄱ. 철수는 잘 있다지.

ㄴ. 그는 서울 간다지.

ㄷ. 어린이가 글을 잘 읽는다지.

이 어미는 어떻게 보면 의문어미인 것처럼 느껴지나 서술형 종결어미이다.

(19) 「-는대」 : '-는다 해」의 준말.

ㄱ. 그는 간대.

ㄴ. 철이는 잘 산대.

ㄷ. 날씨가 춥대.

(20) 「-다」

ㄱ. 차가 간다.

ㄴ. 글을 읽는다.

ㄷ. 날씨가 따뜻하다.

ㄹ. 하늘이 맑다.

(21) 「-다나」: 「-다 하나」의 준말.

ㄱ. 내일은 비가 올 것 같다나.

ㄴ. 그이는 얄밉게 생겼다나.

ㄷ. 이것이 보물이라나.

ㄹ. 봄에는 꽃이 핀다나.

(22) 「-다는데」: 「-다 하는데」의 준말.

ㄱ. 그가 버렸다는데.

ㄷ. 이 책을 백원에 샀다는데.

ㄴ. 이 시계를 지난 주에 샀다는데.

(23) 「-다니까」: 「-다 하니까」의 준말. 상대에게 어떤 사상을 다지어 나타내는 말.

ㄱ. 밥을 먹고 왔다니까.

ㄴ. 보기 싫다니까.

ㄷ. 그 사람이 아니었다니까.

ㄹ. 이 게임이 재미있다니까.

(24) 「-는단다」는 「-는다고 한다」의 준말.

ㄱ. 철수는 공부한단다.

ㄴ. 내일은 눈이 온단다.

ㄷ. 요즈음 옷값이 아주 싸단다.

(25) 「-는대」 : 「-는다고 해」가 준말. 겪은 사실을 베풀어 말할 때 쓰이는 어미.

ㄱ. 손자가 어린 나이에 많은 책을 읽는대.

ㄴ. 어린이가 너무 많이 밥을 먹는대.

ㄷ. 금이는 오늘도 쉰대.

(26) 「-더구나」 : 겪은 사실을 감탄적으로 베풀어 나타내는 말. 준말은 「-더군」.

ㄱ. 그곳은 살기 좋더구나.

ㄴ. 금수는 잘 살더구나.

ㄷ. 그는 집에 있더구나.

ㄹ. 거기는 눈이 왔더구나.

(27) 「-더니라」 : 사실을 들어서 일러주는 뜻의 어미.

ㄱ. 그 사람은 글씨를 잘 쓰더니라.

ㄴ. 옛날에는 이 산에 범이 많더니라.

ㄷ. 전날엔 이곳이 큰 연못이더니라.

ㄹ. 남다른 노력가였더니라.

(28) 「-더라」 : 지난 사실을 돌이켜 생각하여 말하는 어미.

ㄱ. 그이가 아까 저리 가더라.

ㄴ. 어제는 퍽 춥더라.

ㄷ. 금강산을 가 보니까 과연 명산이더라.

ㄹ. 그는 벌써 왔더라.

ㅁ. 꽃이 곧 피겠더라.

ㅂ. 보기에 좋았더라.

(29) 「-더라니」: 「-더라 하니」가 준말. 어떤 결과에 대하여 그리하리라고 생각했던 대로 당연하다는 뜻을 나타낼 때 쓰는 말.

ㄱ. 기어이 가더라니.

ㄴ. 그 사람 입장이 좋지 않더라니.

ㄷ. 그렇게 낡은 것이더라니.

ㄹ. 꼭 무슨 일을 저지르고 말겠더라니.

(30) 「-더라니까」: 「-더라 하니까」의 준말.

ㄱ. 그가 집에 없더라니까.

ㄴ. 그 아이가 혼자 있더라니까.

ㄷ. 희지 않고 검더라니까.

ㄹ. 그건 거짓말이더라니까.

어미는 지난 사실을 돌이켜 확인시키거나 주장할 때 하는 말이다.

(31) 「-더래」: 「-더라고 해」의 준말.

ㄱ. 그는 가더래.

ㄴ. 그는 집에 있더래.

ㄷ. 영희가 보았더래.

(32) 「-라」 : 「이다/아니다」에 붙어 쓰인다. 서술하는 뜻을 나타낸다.

ㄱ. 바로 그 아이라.

ㄴ. 할 짓이 아니라.

ㄷ. 좋은 책이라.

(33) 「-로구나' : 「이다/아니다」의 어간에 붙어 「-구나」보다 더 다지는 뜻을 나타낸다.

ㄱ. 벌써 오정이로구나.

ㄴ. 그 놈이 사람이 아니로구나.

ㄷ. 임의 소식이 가로막힌 것은 그의 조작이로구나.

(34) 「-로구먼' : 「이다/아니다」의 어간에 붙어 「-구먼」보다 더 다지는 뜻을 나타낸다.

ㄱ. 벌써 자정이로구먼.

ㄴ. 벌써 점심때로구먼.

ㄷ. 까다로운 문제로구먼.

(35) 「-로군」 : 「-로구나」, 「-로구먼」의 준말.

ㄱ. 바로 그 학생이로군.

ㄴ. 벌써 점심때로군.

ㄷ. 이미 봄이로군.

(36) 「-로다」 : 「이다/아니다」 어간에 붙어 정중한 느낌을 나타내는 어미.

ㄱ. 참으로 고마운 일이로다.

ㄴ. 산은 옛 산이로되 물은 옛 물이 아니로다.

(37) 「-로라」: 「이다/아니다」의 어간에 붙어 서술 선언 인용 따위의 뜻으로 예스러운 표현에 쓰이는 어미.

ㄱ. 나는 산을 사랑하는 사람이로라.

ㄴ. 백구야 날지 마라. 너 잡을 내 아니로라.

(38) 「-리」: 받침 없는 어간에 붙어 추측이라 느낌의 뜻을 나타낸다.

ㄱ. 가 보아야 하리.

ㄴ. 지금도 그 경치 아름다우리.

ㄷ. 만나 보면 다 알 수 있는 사람이리.

ㄹ. 나도 가리.

ㅁ. 내 맘대로 하면 알려 주리.

(39) 「-리니라」: 받침 없는 어간에 붙어 어떤 사실을 추측하여 가르쳐 주는 뜻을 나타내는 어미.

ㄱ. 곧 진달래도 피리니라.

ㄴ. 그는 말과 행동이 다르리니라.

ㄷ. 쉽게 할 수 있는 일이리니라.

(40) 「-리라」: 어간에 붙어 각탄의 뜻 추측 의지 등의 뜻을 나타낸다.

ㄱ. 곧 다시 만나리라.

ㄴ. 그곳 경치가 참으로 좋으리라.

ㄷ. 나 이제 가리라. 바닷가 내 고향으로

ㄹ. 그것이 오히려 너의 이익이리라.

(41) 「-리로다」: 받침 없는 어간과 ㄹ받침 어간에 붙어 감탄스러움을 띠기도 하며 주로 추측, 의지 등을 나타낸다.

ㄱ. 나는 가리로다. 정처 없이.

ㄴ. 우리 다시 만나리로다.

ㄷ. 단풍으로 온 산이 울긋불긋하리로다.

ㄹ. 곧 이루고야 말리로다.

(42) 「ㄹ거나」: 받침 없는 동사 어간에 붙어 스스로 반문하거나 상대방 뜻을 물어보기도 하고 감탄의 의미를 나타내기도 한다.

ㄱ. 울릉도로 갈거나.

ㄴ. 아이고, 이를 어쩔거나.

(43) 「-ㄹ래」: 무엇을 할 뜻을 나타낸다.

ㄱ. 나는 이제 갈래.

ㄴ. 나 혼자 먹을래.

ㄷ. 더 놀다 갈래.

(44) 「-ㄹ까말까」: 받침 없는 동사 어간에 붙어 망설임을 나타낸다.

ㄱ. 이것을 살까말까.

ㄴ. 창경 구경을 갈까말까.

ㄷ. 점심을 먹을까말까.

(45) 「-ㄹ까보다」: 「-ㄹ까」에 보조형용사 「보다」가 붙은 것으로 추측이나 의지를 나타낸다.

ㄱ. 이 옷은 나에게 좀 클까보다.

ㄴ. 나는 집에 있을까보다.

ㄷ. 쌀이 두어 말이나 될까보다.

ㄹ. 공부를 좀 더 할까보다.

(46) 「-ㄹ께」: 이 어미는 「-ㄹ게」와 같은 뜻을 나타낸다. 즉 자기가 어떻게 할 뜻을 상대방에게 약속하는 뜻을 나타낸다. 동사 어간에 붙어 쓰인다.

ㄱ. 이것을 사 줄께.

ㄴ. 내가 다녀 올께.

ㄷ. 내가 말할께.

ㄹ. 내가 먹을께.

(47) 「-ㄹ라」: 용언 어간에 쓰여 염려를 나타낸다.

ㄱ. 어서 가거라 늦을라.

ㄴ. 꼭 잡아라 놓칠라.

ㄷ. 옷을 그렇게 입고 추울라.

ㄹ. 혹 그것이 가짤라.

(48) 「-ㄹ러라」: 용언 어간에 쓰여 겪은 일을 바탕으로 가능성이나 추측을 나타낸다.

ㄱ. 아무리 보아도 모를러라.

ㄴ. 그것이 이것보다 좀 클러라.

ㄷ. 그런 책은 귀중한 것일러라.

ㄹ. 그 아이들이 참으로 착할러라.

예) ㄹ은 주로 형용사나 '이다'에 쓰여 겪은 사실을 돌이켜 생각하며 말할 때의 보기이다.

(49) 「-ㄹ레」: 받침 없는 어간에 붙어 겪어 본 사실을 바탕으로 한 가능성이나 추측을 나타낸다.

ㄱ. 들어 보니 그 일이 잘 될레.

ㄴ. 이것보다 그것이 더 클레.

ㄷ. 그것도 멋일레.

(50) 「-ㄹ레라」: 「-ㄹ러라」의 변이 형태.

ㄱ. 그는 꽤 바쁠레라.

ㄴ. 거기라면 좋은 곳일레라.

ㄷ. 그녀는 예쁠레라.

(51) 「-ㄹ세라」: 용언 어간에 붙어 염려를 나타낸다.

ㄱ. 행여 물가에 갈세라.

ㄴ. 가는 길이 험할세라.

ㄷ. 차를 놓칠세라.

(52) 「-ㄹ지니라」: 용언 어간에 붙어 '어떻게 할 것이니라', '어떠할 것이니라' 따위의 뜻으로 믿는 바를 청중하게 말할 때 쓰이는 어미.

ㄱ. 너는 꼭 성공할지니라.

ㄴ. 이 나무는 꽃이 아름다울지니라.

ㄷ. 그는 정직한 사람일지니라.

(53) 「－ㄹ진저」: 형용사, 동사나 「이다/아니다」에 붙어 '마땅히 하여야 할 것이다', '－일 것이다'의 뜻으로 정중한 글에 쓰인다.

ㄱ. 그것이 바로 노력한 결과일진저.

ㄴ. 나라와 겨레를 사랑할진저.

(54) 「－ㅁ직하다」

ㄱ. 이 떡은 먹음직하다.

ㄴ. 그는 믿음직하다.

ㄷ. 이 책은 읽음직하다.

(55) 「－어야지」: 「－어야 하지」가 준말.

ㄱ. 넓어도 여간 넓어야지.

ㄴ. 그의 말을 들어야지.

ㄷ. 빨리 집으로 가야지.

(56) 「－ 을거나」: 받침 있는 동사 어간에 붙어 스스로 반문하는 어미.

ㄱ. 무엇을 먹을거나.

ㄴ. 어디로 갈거나.

(57) 「-으니」 : 받침 있는 형용사 어간에 붙어 경험을 바탕으로 생각하는 바의 사실을 일러주는 뜻을 나타낸다.

ㄱ. 동해는 물이 맑으니.

ㄴ. 술 깨기에는 꿀물이 좋으니.

(58) 「-으니까」 : 「-으니」의 힘줌말

ㄱ. 나는 그를 자주 만난다. 좋은 친구니까.

ㄴ. 나는 집에 있었다. 날씨가 추우니까.

ㄷ. 많이 먹었다. 맛이 있으니까.

(59) 「-을걸」 : 아쉬움을 나타낸다.

ㄱ. 여기 있을걸.

ㄴ. 저것을 먹을걸.

(60) 「-을러라」 : 겪은 사실을 바탕으로 가능성이나 추측을 나타낸다.

ㄱ. 아무리 찾을려야 못 찾을러라.

ㄴ. 모인 사람들이 그렇게 많을러라.

(61) 「-을레」 : 겪은 사실을 바탕으로 가능성이나 추측을 나타낸다.

ㄱ. 모두들 그의 말이라면 믿을레.

ㄴ. 곧 열매가 익을레.

ㄷ. 나는 곧 갈레.

(62) 「-으려니」 : 어떤 사실을 추측으로 일러주는 어미.

ㄱ. 그는 이미 떠났으려니.

ㄴ. 그 산이라면 꽤 높으려니.

ㄷ. 그는 이미 다녀왔으려니.

(63) 「-으렷다」 : 추측을 나타내는 어미.

ㄱ. 며칠 사이에 눈이 녹으렷다.

ㄴ. 그러면 그렇게 하렷다.(명령)

ㄷ. 이 옷이 좀 작으렷다.

ㄹ. 자네 말이라면 그가 집에 있으렷다.

(64) 「-으리」 : 의지, 추측을 나타낸다.

ㄱ. 내일이면 늦으리.

ㄴ. 다시는 울지 않으리.

ㄷ. 바로 그였으리.

(65) 「-으리니라」 : 추측하여 가르쳐 주는 뜻의 어미.

ㄱ. 날씨가 맑으리니라.

ㄴ. 그 거리면 그는 벌써 갔으리니라.

ㄷ. 강물이 매울 깊으리니라.

(66) 「-으리라」 : ㄹ받침을 뺀 받침에 관계 없이 어간에 붙어 의지나 추측을 나타낸다.

ㄱ. 그가 집에 있으리라.

ㄴ. 나는 이것을 먹으리라.

ㄷ. 내일은 내가 오리라.

ㄹ. 나는 너를 믿으리라.

(67) 「-는가보다」 : 「-는가」에 보조형용사 「보다」가 붙어 된 어미.

ㄱ. 그는 기분이 좋은가보다.

ㄴ. 철희는 돈이 많은가보다.

(68) 「-은걸」 : 「-은 것을」의 준말.

ㄱ. 그것이 좋은걸.

ㄴ. 그 책은 이미 다 읽은걸.

ㄷ. 그 밥은 다 먹은걸.

(69) 「-으리로다」 : ㄹ받침을 뺀 받침 있는 어간에 붙어 주로 정중하거나 예스런 문체에 쓰여 추측이나 의지를 나타낸다.

ㄱ. 그는 마음이 변치 않았으리로다.

ㄴ. 그 일은 우리가 꼭 처리하리로다.

ㄷ. 어찌할 수 없는 일이었으리로다.

(70) 「-을지니라」 : 받침 있는 어간에 붙어 '응당 어떻게 할 것이니라', '어떠할 것이니라'의 뜻으로 믿는 바를 정중하게 베풀어 말할 때의 어미.

ㄱ. 환자는 반드시 약을 먹을지니라.

ㄴ. 곧 날이 밝을지니라.

ㄷ. 그는 바로 김동지였을지니라.

(71) 「-을지라」 : 받침에는 관계 없이 어간에 붙어 응당 '어떻게할 것이라', 「-어떠할 것이라」의 뜻으로 믿는 바를 정중하게 베풀어 말하는 어미.

ㄱ. 일한 보람을 찾을지라.
ㄴ. 그에게 이만한 돈은 없을지라.
ㄷ. 그는 바로 형의 동지였을지라.

(72) 「-을게」 : 용언 어간에 붙어 어떻게 할 뜻을 상대방에게 약속함을 나타내는 어미.

ㄱ. 이것을 너에게 줄게.
ㄴ. 10시까지 기다리고 있을게.
ㄷ. 내일 10시에 갈게.

(73) 「-니라」 : 받침 없는 형용사나 '이라'의 어간에 붙어 경험을 바탕으로 어떤 사실을 일러 주는 뜻을 나타내는 어미.

ㄱ. 바닷물은 맛이 짜니라.
ㄴ. 이상과 현실은 어림없이 다르니라.
ㄷ. 밥을 잘 먹는 것이 보약이니라.

(74) 「- 는다네」 : 「는다고 하네」의 준말.

ㄱ. 강남 갔던 제비가 돌아온다네.
ㄴ. 그는 서울 간다네.

ㄷ. 봄이 소식이 들린다네.

ㄹ. 우리도 같이 간다네.

(75) 「-는지」 : 동사, 형용사 및 「이다」에 붙어 쓰이는 어미.

ㄱ. 그가 잘 있는지 어떤지.

ㄴ. 돈인지 무엇인지.

ㄷ. 그는 오늘 밥을 먹는지, 마는지.

(76) 「- 을게」 : 동사 어간에 붙어 자기가 어떻게 할 뜻을 상대방에게 약속함을 나타내는 어미.

ㄱ. 10시까지 기다리고 있을게.

ㄴ. 내일 갈게.

ㄷ. 나는 너를 믿을게.

(77) 「- ㄴ다」 : 동사 어간에 붙어 움직임의 현재 서술형을 나타내는 어미.

ㄱ. 이제 봄이 온다.

ㄴ. 비가 온다.

ㄷ. 날이 샌다.

ㄹ. 구름이 흘러 간다.

(78) 「-련다」 : 「려 한다」의 준말.

ㄱ. 가련다. 떠나련다.

ㄴ. 나는 여기 있으련다.

ㄷ. 점심을 먹으련다.

ㄹ. 고향으로 돌아가련다.

(79)「-ㅁ에랴」: 받침 없는 어간에 붙어 되물으면서 느낌을 나타내는 어미.

ㄱ. 더 말해 무엇하리. 그렇게 고집을 부림에랴.

ㄴ. 미리 좀 가르쳐주면 어때. 어차피 다 알게 될 것임에랴.

ㄷ. 알아본들 무엇하리. 사실이 아님에랴.

나. 보통비칭

이에는「-네」,「-(는)다네」,「-데」,「-ㄹ세」,「-로세」,「-ㅁ세',「-어/-아」,「-으려네」,「-으련다」,「-으이」,「-는다노」,「-의」,「-ㄴ데요」,「-다오」,「-으니」,「-는가」.

(1)「-네」: 예사낮춤에 쓰이는 어미

ㄱ. 자네만 믿네.

ㄴ. 그것보다 이것이 낫네.

ㄷ. 그게 아니고 이것이네.

(2)「-다네」:「-다 하네」가 준말. 어떤 사실을 베풀어 말하면서 약간 감탄스러움이나 정다움을 띠는 어미로 동사와 '이다/아니다'의 경우는 때를 나타내는 비종결어미에 붙는다.

ㄱ. 세월만 덧없이 지나갔다네.

ㄴ. 우리도 잘 알고 있다네.

ㄷ. 그가 왔다네.

ㄹ. 거 참 갸륵한 뜻이었다네.

(3) 「-데」 : 경험한 지난날을 돌이켜 나타내는 어미

ㄱ. 그가 그런 말을 하데.

ㄴ. 경치가 과연 좋데.

ㄷ. 금강산은 참 명산이데.

ㄹ. 그는 말없이 집으로 가데.

(4) 「-을세」 용언 어간에 붙어 쓰이는 어미 「이다/아니다」의 어간에 붙을 때는 느낌을 띠기도 한다. 또 동사 어미간에 붙을 때는 추측이나 가능성을 나타내기도 한다.

ㄱ. 바로 날세.

ㄴ. 그 사람이 아닐세.

ㄷ. 참말일세.

ㄹ. 이 술은 열흘이면 먹을세.

ㅁ.내일은 날씨가 맑을세.

(5) 「-ㅁ세」: 동사 어간에 붙어 약속이나 꾀임의 뜻을 나타낸다.

ㄱ. 나하고 같이 감세.

ㄴ. 내가 거들어 줌세.

ㄷ. 우리끼리 그냥 감세.

(6) 「-어/-아」 보통비칭에 쓰는 어미

ㄱ. 이 옷은 나에게 작아.

ㄴ. 우리는 거기 자고 가야.

ㄷ. 그는 떡을 잘 먹어.

(7) 「-으려네」 「-으려 하네」가 줄어든 말. 말할이의 의사소통을 나타내거나 어떤 사실을 베풀어 말할때의 어미

ㄱ. 무궁화나무를 심으려네.

ㄴ. 놀려 가려네.

ㄷ. 이것을 먹으려네.

ㄹ. 그가 곧 오려네.

(8) 「-으련다」 : 「 -으려한다」가 준 어미로 의지나 추측을 베풀어 나타내는 종결형어미. 이 어미는 「-으려 한다」가 준 말이다.

ㄱ. 책을 읽으련다.

ㄴ. 가련다 떠나련다. 어린 아들 손을 잡고.

ㄷ. 비가 오련다.

(9) 「 -으이」 : 받침 있는 동사나 형용사에 붙어 쓰이는 서술형종결어미. 준말은 「으」이다.

ㄱ. 그는 고기를 잡으이.

ㄴ. 그것 참 좋으이.

ㄷ. 참으로 기쁘이.

(10) 「의」 : 「으이」의 준말

ㄱ. 듣기 좋의.

ㄴ. 기가 차의.

(11) 「-으니」 : 주로 받침 있는 형용사에 쓰여 주로 경험을 바탕으로 생각하는 바의 사실을 일러 주는 뜻을 나타낸다.

ㄱ. 동해는 물이 맑으니.

ㄴ. 술 깨기에는 꿀이 좋으니.

(12) 「-ㄴ다네/ -는다네」 : 「ㄴ다 하네」가 준 말. 어떤 사실을 베풀어 말하면서 감탄스러움, 정다움 또는 좀 방관적인 태도를 나타내는 종결어미. 현재를 나타낸다.

ㄱ. 아지랑이 피는 들녘에 봄의 소리가 들린다네.

ㄴ. 우리도 같이 상을 받는다네.

ㄷ. 난 모른다네.

ㄹ. 이 땅에도 또다시 봄이 온다네.

(13) 「-으니라」 : ㄹ받침 이외의 받침있는 형용사 어간에 붙어 경험을 바탕으로 어떤 사실을 일러주는 뜻의 어미

ㄱ. 일찍 일어나면 몸에 좋으니라.

ㄴ. 겨울낮은 짧으니라.

ㄷ. 그 산은 꽤 높으니라.

다. 보통존대

이에는「-는다오」,「-더구려/-더구료」,「-다오」,「-ㄴ대요」,「-답니다」,「-더이다」,「-라오」,「-리다」,「-ㅂ지요」,「-쇠다」,「-어요/-아요」,「-오」,「-외다」,「-요」,「-오리다」,「-으려오」,「-으로이다」,「-으오리이다」,「-으오리다」,「-으쇠다」,「-소」

(1)「-는다오」:「-다오」의 뜻으로 동사 어간에 붙어 현재 서술형어미이다.

ㄱ. 그가 내일 떠난다오.
ㄴ. 나도 간다오.
ㄷ. 나는 곧 돌아온다오.
ㄹ. 철이는 오늘 늦게 온다오.

(2)「-더구려/-더구료」: 각 어간에 붙어 겪은 사실을 감탄적으로 나타내는 어미

ㄱ. 잘 해 놓고 살더구려/살더구료.
ㄴ. 길이 꽤 멀더구려/멀더구료.
ㄷ. 부지런한 사람이구려/사람이구료.
ㄹ. 날씨, 쾌청하구려/쾌청하구료.

(3)「-다오」:「-다 하오」가 줄어든 말, 동사, 형용사「이다」의 때를 나타내는 비종결어미 다음에 붙어 어떤 사실을 간곡하게 말하는 뜻을 나타낸다.

ㄱ. 참 아름답다오.

ㄴ. 이미 늦었다오.

ㄷ. 우리는 배급을 넉넉하게 받았다오.

ㄹ. 날씨가 몹시 춥다오.

(4) 「-ㄴ대요」: 「-는다 해요」가 줄어든 말

ㄱ. 철수가 글을 잘 읽는대요.

ㄴ. 지금 모를 심는대요.

ㄷ. 그는 미국으로 유학간대요.

ㄹ. 봄날씨가 몹시 가문대요.

(5) 「-답디다」: 「-라 합디다」가 줄어든 말

ㄱ. 벌써 떠났답디다.

ㄴ. 곧 가겠답디다.

ㄷ. 날씨가 좋답디다.

ㄹ. 그는 착한 사람이었답디다.

(6) 「-라오」: 「-라 하오」가 줄어든 말로 「이다/아니다」의 어간에 붙어 간곡하거나 감탄스러움을 나타내는 종결어미.

ㄱ. 이것이 보잘것없는 내 작품이라오.

ㄴ. 설악의 단풍 참 아름다운 경치라오.

ㄷ. 여기가 옛 성터라오.

(7) 「-리다」 : 받침 없는 어간과 ㄹ받침 어간에 두루 붙어 쓰이는 서술형 종결어미. 때로는 의지를 나타낸다.

ㄱ. 내일이면 그가 오리다.

ㄴ. 단풍이 들면 더욱 아름다우리다.

ㄷ. 믿을 만한 사람이리다.

ㄹ. 저도 같이 가리다.

(8) 「-ㅂ죠/ㅂ지요」 : 「-ㅂ죠」는 「-ㅂ지요」의 준말 「-ㅂ지요」는 받침 없는 각 어간에 붙어 어떤 사실을 서술하는 종결어미. 받침 아래서는 매개모음 「-으」를 필요로 하다. 대개 「-습지요」가 잘 쓰인다.

ㄱ. 제가 합죠.

ㄴ. 날씨가 꽤 따뜻합죠.

ㄷ. 제가 맡아 합지요.

ㄹ. 보리가 아주 푸릅지요.

(9) 「-쇠다」 : 「-소이다」의 준 말로 「-소이다」보다 좀 가벼운 뜻을 띤다.

ㄱ. 그는 집에 있쇠다.

ㄴ. 그는 나갔쇠다.

ㄷ. 나는 이것을 먹겠쇠다.

(10) 「-어요/-아요」 : 반말 「-어/-아」에 높임의 보조사 「-요」가 덧붙어 "하오" 할 자리에 쓰이는 어미

ㄱ. 어름이 녹아요.

ㄴ. 경치가 퍽 아름다워요.

ㄷ. 나는 떡을 먹어요.

ㄹ. 그는 잘 지내고 있어요.

(11) 「-오」 : 용언 어간에 붙어 예사높임에 쓰이는 종결어미

ㄱ. 나는 학교에 가오.

ㄴ. 날씨가 따뜻하오.

ㄷ. 이것이 그 유명한 소설이오.

ㄹ. 이것이 산삼이오.

(12) 「-외다」 : 「-오이다」의 준 말. 받침 없는 어간에 쓰인다.

ㄱ. 감사하외다.

ㄴ. 고기가 크외다.

ㄷ. 빛깔이 희외다.

(13) 「-요」 : 형용사, 동사 「이다/아니다」에 붙어 쓰이는 서술형 종결어미

ㄱ. 이것은 책이요. 저것은 붓이요.

ㄴ. 여기가 서울이요.

ㄷ. 나는 집에 가요.

(14) 「-으리다」 : ㄹ를 뺀 용언 어간에 붙어 쓰이는 서술형 종결어미로 동사 어간에 쓰일 때는 추측이나 의지를 나타낸다.

ㄱ. 그러다가는 욕을 먹으리라.

ㄴ. 비가 오리다.

ㄷ. 부모를 섬기면 복을 받으리다.

ㄹ. 나는 오늘은 쉬리다.

(15) 「-으려오」 : 「-으려 하오」의 준 것

ㄱ. 나도 같이 먹으려오.

ㄴ. 공부하려오.

ㄷ. 여기서 살려오.

(16) 「-으 오리다」 : 종결어미 「-으리다」를 겸손하게 나타내는 말

ㄱ. 구하면 얻으오리다.

ㄴ. 그 꽃은 남쪽 지방에 많으오리다.

ㄷ. 여기에 그냥 있으오리다.

(17) 「-으오리이다」 : 「-으 오리다」의 예스러운 정중한 말

ㄱ. 구하면 얻으오리이다.

ㄴ. 읽으오리이다.

ㄷ. 그 약초가 깊은 산골에는 많으오리이다.

ㄹ. 임의 뜻을 좇으오리이다.

(18) 「-으오이다」 : 「-으옵니다」보다 더 예스러운 말. 준) 「-으외다」

ㄱ. 읽으오이다.

ㄴ. 밝으오이다.

ㄷ. 붉으오이다.

(19) 「-으외다」 : 「-으오이다」의 준말

ㄱ. 읽으외다.

ㄴ. 높으외다.

ㄷ. 밝으외다.

(20) 「-소」 : 하오 할 자리에 두루 쓰이는 종결어미로 주로 받침 있는 어간에 쓰인다.

ㄱ. 나는 책을 읽소.

ㄴ. 밥을 먹소.

ㄷ. 옷을 입소.

ㄹ. 산이 매우 아름답소.

라. 극존대

이에는 「-나이다」, 「-는 답니다」, 「-는 답디다」, 「-댔-」, 「-더이다」, 「-더랍니다」, 「-더이다/-러이다」, 「-렵니다」, 「-랍니다」, 「-ㅂ니다」, 「-사오이다」, 「-사옵-」, 「-사옵니다」, 「-사옵디다」, 「-사외다」, 「-습니다」, 「-으옵니다」, 「-오옵디다」 등이 있다.

(1) 「-나이다」 : 매우 정중한 태도를 띠는 서술형 종결어미.

ㄱ. 용서를 비나이다.

ㄴ. 소식 듣고 기쁘게 생각하고 있나이다.

ㄷ. 그런 적이 있나이다.

ㄹ. 구분이 아니었나이다.

(2) 「-는 답니다」: 「-는다 합니다」의 준말

ㄱ. 그는 서울 간답니다.

ㄴ. 영미는 이사한답니다.

ㄷ. 소가 죽을 잘 먹는답니다.

ㄹ. 금강산은 매우 아름답답니다.

(3) 「-ㄴ답디다」: 「ㄴ다 합디다」가 줄어든 말

ㄱ. 장사가 잘 된답디다

ㄴ. 서울 아파트 값이 너무 비싸답디다.

ㄷ. 그는 고시에 합격하였답디다.

ㄹ. 거기는 지금 눈이 온답디다.

이 어미는 들은 바 또는 겪은 사실을 상대에게 알리는 극존대말이다.

(4) 「-댔」: 「-다고 했」의 준말. 이 어미 뒤에는 존대의 어미 「-습니다/-습디다」가 뒤따라 쓰인다.

ㄱ. 그가 먹었댔습니다.

ㄴ. 제가 갔댔습니다.

ㄷ. 우리가 이겼댔습니다.

ㄹ. 거기가 참으로 아름다워댔습니다.

(5) 「-더이다」: 어간에 두루 붙어 지난 사실을 돌이켜 생각하여 정중하게 예스럽게 말할 때 쓰이는 종결어미

ㄱ. 그는 잘 있더이다.

ㄴ. 철수는 잘 살더이다.

ㄷ. 참아 눈뜨고는 볼 수 없더이다.

ㄹ. 그 새가 “비오리”라는 새이더이다.

ㅁ. 그는 처리를 잘 하겠더이다.

(6) 「-더랍니다」 : 「-더라 합니다」의 준 말

ㄱ. 순이는 집으로 가더랍니다.

ㄴ. 그는 노루를 보았더랍니다.

ㄷ. 일을 잘 해 내겠더랍니다.

ㄹ. 상이 아주 크더랍니다.

ㅁ. 그 산이 아주 높더랍니다.

(7) 「-러이다」 : 「-더이다」의 뜻으로 「-이다/아니다」 의 어간에 붙어 쓰이는 어미.

ㄱ. 그는 천하의 명공이러이다.

ㄴ. 이 책이 삼국사기이러이다.

ㄷ. 이것이 귀한 산삼이러이다.

ㄹ. 이것이 산호이러이다.

ㅁ. 그는 천하의 영웅이러이다.

(8) 「-렵니다」 : 「-려고 합니다」의 준말

ㄱ. 나는 학자가 되렵니다.

ㄴ. 술을 한 잔 하렵니다.

ㄷ. 나는 귀중한 선물을 받으렵니다.

이 어미는 어간에 붙어 어떤 의지를 나타낸다. 현재 서술형이다.

(9) 「-랍니다」: 동사나 「이다/아니다」의 어간에 붙어 쓰이는데 「-라합니다」의 준말. 아는 또는 겪은 사실을 정중하게 설명하여 알리는 서술형 종결어미이다.

ㄱ. 그가 선생이랍니다.
ㄴ. 그이가 박사랍니다.
ㄷ. 이 산이 무학산이랍니다.
ㄹ. 여기가 어항이랍니다.

(10) 「-ㅂ니다」: 받침 없는 어간에 두루붙어 합쇼 할 자리에 쓰이는 서술형 종결어미. 받침 다음에는 매개모음 「-으」를 필요로 하나 대개 「-습니다」 가 잘 쓰인다.

ㄱ. 서울로 갑니다.
ㄴ. 매우 기쁩니다.
ㄷ. 이 글자는 한글입니다.
ㄹ. 그는 술을 잘 먹습니다.
ㅁ. 여기에 보석이 있습니다.

(11) 「-사오이다」: 「-사옵니다」보다 더 예스러운 말 ㊜ 「사외다」

ㄱ. 그렇게 믿사오이다.
ㄴ. 그는 자주 술을 먹사오이다.
ㄷ. 그렇게 믿사오이다.
ㄹ. 저는 집에 있사오이다.

(12) 「-사옵-」 : 「-삽」과 「-사오」가 뒤썩이어 된 말

ㄱ. 먹사옵고.

ㄴ. 새 옷을 입사옵니다.

ㄷ. 그것이 여기에 있사옵니다.

ㄹ. 그것이 보석이 아니겠사옵니다.

* 참고 : 「-사오-」「-삽-」「-옵」「-으옵-」「-자옵-」

(13) 「-사옵니다」 : 「-사옵」에 「나이다」가 줄어서 합하여 된 말

위에서 이미 예를 보이었으나 다시 몇몇 예를 보이기로 하겠다.

ㄱ. 하나님만 믿사옵니다.

ㄴ. 잘 지내고 있사옵니다.

ㄷ. 그네는 잘 사옵니다.

(14) 「-사옵더이다」 : 「-사옵」에 「-더이다」가 합하여 된 말

ㄱ. 금순이는 잘 사옵더이다.

ㄴ. 순이는 술을 너무 먹사옵더이다.

ㄷ. 그는 벌써 콩을 심사옵더이다.

과거에 겪은 일을 정중하게 어른께 설명하여 알리는 말이다.

(15) 「-사외다」 : 「-사이오이다」의 준말

ㄱ. 그렇게 멀사외다.

ㄴ. 그에는 돈이 많사외다.

ㄷ. 갑이는 뭐든지 잘 먹사외다.

(16) 「-습니다」 : 받침 있는 어간에 두루붙어 아주높임에 쓰이는 서술형 종결어미의 하나.

ㄱ. 떡을 잘 먹습니다.
ㄴ. 벌써 갔습니다.
ㄷ. 집에 있겠습니다.
ㄹ. 가만히 계시는 것이 좋겠습니다.

(17) 「-으옵니다」 : 「-으옵+나이다」가 줄어 합친 어미이다. 받침 있는 동사나 형용 어간에 붙어 합쇼할 자리에 쓰이는 서술형 종결어미

ㄱ. 책을 잘 읽으옵니다.
ㄴ. 서로 같으옵니다.
ㄷ. 이번에 상을 받으옵니다.

(18) 「-으옵디다」 : 「-으옵+더이다」가 줄어 합친 어미

ㄱ. 그는 이미 가옵디다.
ㄴ. 상을 받으옵디다.
ㄷ. 하나님을 독실히 믿으옵디다.
ㄹ. 그는 잘못을 비옵디다.

3. 의문법

이에도 극비칭 보통비칭 보통존징 극존칭의 구별이 있다.

가. 극비칭

이에는 「-가」, 「-고」, 「-나」, 「-냐」, 「-노」, 「-느냐」, 「-느뇨」, 「-(으)니」, 「-느냐」, 「-느냐고」, 「-느뇨」, 「-다며/-다면서」, 「-(ㄴ)다니」, 「-담」, 「-ㄴ대/-는대」, 「-는다느냐」, 「-던」, 「-으라느냐」, 「-근ㄹ까보냐」, 「-ㄹ거나」, 「-라」, 「-라고」, 「-라느냐」, 「-(으)랴」, 「-(으)련」, 「-을까/ ㄷ려나」, 「-을쏘 냐」, 「-을지」, 「-을는지」, 「-려니」, 「-러니」, 「-려느냐」, 「-으랴」, 「-으련」, 「-으려나」, 「-ㄹ까」, 「-쏘냐」, 「-을래」, 「-ㄹ런고」, 「-ㄹ런가」, 「-려나」, 「-으려느냐」, 「-ㄹ라고」, 「-을래」, 「-으려나」, 「-으려는지」.

(1) 「-가」 : 사전에는 없으나 사투리에서 의문어미로 쓰이고 있다.

ㄱ. 이제 네 것가?

ㄴ. 저게 네 책가?

(2) 「-고」 : 물음. 빈정거림. 항의 따위를 나타내는 반말투의 어미.

ㄱ. 그럼 너는 무얼 <u>하고</u>?

ㄴ. 거기에는 누가 <u>가고</u>?

ㄷ. 그렇게 말하는 당신은 <u>친절하고</u>?

ㄹ. 그게 <u>무엇고</u>?

(3) 「-나」: 해라할 자리에 쓰이는 의문형 종결어미.

ㄱ. 너도 가나?

ㄴ. 누가 이겼나?

ㄷ. 그것이 적나?

(4) 「-냐」: 받침 없는 동사, 형용사, 「이다」의 어간에 붙어 해라 할 자리에 물음을 나타내는 종결어미.

ㄱ. 키가 얼마나 크냐?

ㄴ. 그게 무엇이냐?

ㄷ. 그가 누구냐?

ㄹ. 언제 왔냐?

ㅁ. 돈이 없었냐?

(5) 「-노」: 「이다/아니다」를 제외한 동사 어간에 붙어 「해라 할」 자리에 의문을 나타낸다.

ㄱ. 어디 가노?

ㄴ. 너는 무엇을 그리 먹노?

ㄷ. 뭘 하노?

(6) 「-느냐」: 동사 어간이나, 형용사, 이다의 때를 나타내는 「-았/-었」 「-겠」에 붙어 해라할 자리에 쓰는 의문형 종결어미

ㄱ. 어디 가겠느냐?

ㄴ. 어디서 자느냐?

ㄷ. 어디가 살기 좋으냐?

ㄹ. 이제 왔느냐?

(7) 「-(느)뇨」: 모든 서술어에 쓰이는데 「이다/아니다」와 변칙없는 형용사에 쓰일 때는 「-뇨」만이 쓰이는 수가 있다.

ㄱ. 무엇 하느뇨?
ㄴ. 얼마나 예쁘뇨?
ㄷ. 이게 무엇이뇨?

(8) 「-니」: 어간에 두루 붙어 해라 할 자리에 물음을 나타내는 종결어미

ㄱ. 이 맛이 짜니?
ㄴ. 너도 가니?
ㄷ. 아버지는 잘 계시니?
ㄹ. 그게 무엇이니?

(9) 「-느냐/으냐」: 받침 관계없이 동사, 형용사 「이다」의 어간에 붙어 해라 할 자리에 쓰이어 의문을 나타내는 종결어미.

ㄱ. 물이 깊으냐?
ㄴ. 오늘은 온도가 몇 도냐?
ㄷ. 얼마나 따뜻하냐?
ㄹ. 그 산은 얼마나 높으냐?
ㅁ. 어디에 가느냐?

(10) 「-느냐고/-으냐고」 : 용언의 어간에 붙어 쓰이는 의문형어미

ㄱ. 그가 누구냐고?

ㄴ. 그게 무엇이냐고?

ㄷ. 너는 어디 가느냐고?

ㄹ. 순이는 얼마나 고우냐고?

ㅁ.물이 얼마나 깊으냐고?

(11) 「-느뇨/-으뇨」 : 어간에 두루 붙어 해라 할 자리에 물음을 나타내는 종결어미.

ㄱ. 어디가 좋으뇨?

ㄴ. 어디로 가뇨?

ㄷ. 이게 무엇이뇨?

ㄹ. 배급을 어디서 받느뇨?

(12) 「-다니」 : 동사 형용사 어간에 붙어 의심스러움이나 뜻밖의 사실로 느끼거나 반문하는 뜻을 나타내는 종결어미

ㄱ. 얼마나 아름답다니?

ㄴ. 언제 간다니?

ㄷ. 그가 언제 왔다니?

ㄹ. 그는 미국서 무엇 한다니?

「이다/아니다」의 경우는 「-라니」가 된다.

ㅁ. 이게 무엇이라니?

(13) 「-다며」: 「-다면서」의 준말

ㄱ. 그는 잘 있다며?

ㄴ. 술은 싫다며?

ㄷ. 그 사람이 아니었다며?

ㄹ. 너도 같이 보았다며?

ㅁ. 그는 잘 있다면서?

(14) 「-ㄴ다니」: 「-다 하니」가 준 것으로 물음을 나타내는 종결어미.

ㄱ. 그가 언제 온다니?

ㄴ. 그가 내일 간다니?

ㄷ. 어떻게 지낸다니?

ㄹ. 돈이 많다니?

(15) 「-담」: 동사 어간에 붙어 의문을 나타낸다.

ㄱ. 그는 무엇 한담?

ㄴ. 영희는 잘 있담?

(16) 「-는대/-대」: 동사어간에 붙어 의문을 나타낸다. 형용사에 쓰일 때는 「-대」로 쓰인다.

ㄱ. 그는 어디 간대?

ㄴ. 그녀는 예쁘대?

ㄷ. 이것이 무엇이래?

「이다/아니다」에는 「-래」가 쓰인다.

(17) 「-는다느냐」 : 「-는다 하느냐」의 준말로 「이다/아니다」에는 「-이라느냐/-니라느냐」로 된다.

ㄱ. 이게 돈이 아니라느냐?

ㄴ. 그는 어디로 간다느냐?

ㄷ. 아기가 잘 논다느냐?

ㄹ. 약을 잘 먹는다느냐?

(18) 「-던」 : 「-더냐」의 준말.

ㄱ. 그가 왔던? (그가 잘 왔더냐?)

ㄴ. 언제 갔던?

ㄷ. 물이 깊던? (물이 얼마나 깊더냐?)

ㄹ. 그는 어떤 사람이던?

ㅁ. 그는 어떤 인물이더냐?

(19) 「-으라느냐」 : 「-으라/다 하느냐」의 준말.

ㄱ. 무엇을 먹으라느냐?

ㄴ. 이 옷을 입으라느냐?

ㄷ. 얼마나 비싸다느냐?

ㄹ. 그것이 무엇이라느냐?

(20) 「-ㄹ까보냐」 : 「ㄹ까 보다」의 의문형으로 상대방의 의사나 추측을 묻는 종결어미.

ㄱ. 몇 가마니나 될까보냐?

ㄴ. 비가 올까보냐?

ㄷ. 이 옷이 좀 클까보냐?

ㄹ. 어려운 일일까보냐?

ㅁ. 그런다고 내가 갈까보냐?

ㅂ. 그가 너에게 뒤질까보냐?

(21) 「-ㄹ거나」: 받침 없는 동사 어간에 붙어 스스로 반문하거나 상대방의 의사를 물어 보는 종결어미.

ㄱ. 어디로 갈거나?

ㄴ. 부산으로 갈거나?

ㄷ. 아이고 이 일을 어쩔거나?

ㄹ. 낮에는 무얼 먹을거나?

(22) 「-라」: 「이다/아니다」 및 동사 어간에 붙어 의문을 나타내는 종결어미.

ㄱ. 이것이 무엇이라?

ㄴ. 그가 선생이 아니라?

ㄷ. 이게 비타민이라?

ㄹ. 어서 가라?

ㅁ. 이것을 먹으라?

(23) 「-라고」: 동사와 「이다/아니다」의 어간에 붙어 의문을 나타내는 종결어미.

ㄱ. 이것이 무엇이라꼬?

ㄴ. 이 약을 먹으라꼬?

ㄷ. 어서 가라꼬?

(24) 「-라느냐」: 시킴에 대한 물을 나타내는 종결어미.

ㄱ. 어디로 가라느냐?

ㄴ. 무슨 일을 하라느냐?

ㄷ. 무엇을 받으라느냐?

ㄹ. 어디서 공부하라느냐?

(25) 「-(으)랴」: 동사 어간에 붙어 의문을 나타낸다.

ㄱ. 어디로 가랴?

ㄴ. 여기 있으랴?

ㄷ. 어디로 오랴?

(26) 「-련」: 「-려느냐」가 줄어든 말.

ㄱ. 밥을 언제 먹으련?

ㄴ. 어디로 가련?

ㄷ. 언제 오련?

ㄹ. 무엇을 주련?

(27) 「-을까」: 동사 어간에 두루 붙어 물음을 나타내는 종결어미.

ㄱ. 무엇을 먹을까?

ㄴ. 어디로 등산갈까?

ㄷ. 상을 언제 받을까?

ㄹ. 일을 언제 마칠까?

(28) 「-려나」: 「려 하나」가 줄어든 말로 받침 없는 어간에 붙어 추측하여 묻거나 그냥 가벼운 물음을 나타내는 종결어미.

ㄱ. 그는 언제 오려나?

ㄴ. 내일은 비가 오려나?

ㄷ. 우리 언제 다시 만나려나?

ㄹ. 너는 언제 가려나?

(29) 「-ㄹ래」: 받침 없는 동사에 붙어 무엇을 할 뜻을 베풀거나 물어보는데 쓰이는 종결어미.

ㄱ. 난 이제 갈래.

ㄴ. 더 놀다 올래.

ㄷ. 어디 갈래.

ㄹ. 같이 놀러 갈래.

(30) 「-을는지/ -ㄹ는지」: 어간에 붙어 의문을 나타낸다.

ㄱ. 그가 집에 있을는지?

ㄴ. 그녀가 착할는지?

ㄷ. 어디로 갈는지?

(31) 「-러니」: 「-더니」의 예스러운 말로 「이다/아니다」 어간에 붙어 쓰이는 어미.

ㄱ. 영웅 호걸이 그 뉘러니?

ㄴ. 이게 무엇이러니?

ㄷ. 서울은 어디러니?

(32) 「-려느냐」:「-려 하느냐」의 줄어든 말.

ㄱ. 언제 가려느냐?

ㄴ. 무슨 공부를 하려느냐?

ㄷ. 형을 언제 만나려느냐?

(33) 「-으랴」: 받침 있는 어간에 두루 붙어 해라할 자리에 대한 물음이나 상대방의 의사를 묻는 종결어미.

ㄱ. 무엇을 먹으랴?

ㄴ. 어디로 가랴?

ㄷ. 그 떡을 내가 먹으랴?

ㄹ. 누가 갔으랴?

(34) 「-으련 :「-려 느냐」의 준말.

ㄱ. 밥을 언제 다 먹으련?

ㄴ. 무슨 이야기를 하련?

ㄷ. 누구와 만나련?

(35) 「-으려나」:「-으려 하나」가 줄어든 말.

ㄱ. 너는 무엇을 읽으려나?

ㄴ. 그가 벌써 왔을려나?

ㄷ. 열매가 언제 익으려나?

ㄹ. 그가 갔을려나?

(36) 「-ㄹ라고」: 동사어간에 붙어 의문을 나타낸다.

ㄱ. 어디 갈라고?

ㄴ. 이게 무엇할라고?

ㄷ. 공부 할라고?

(37) 「-을래」: 받침 있는 어간에 붙어 자기가 무엇을 하고자 하는 자기 의사를 나타내거나 상대방의 의사를 물어보는 뜻을 나타내는 종결어미.

ㄱ. 집에 있을래?

ㄴ. 너는 무슨 책을 읽을래?

ㄷ. 언제 올래?

(38) 「-러니」: 종결어미 「-더니」의 예스러운 말로 「이다/아니다」의 어간에 쓰이는 말.

ㄱ. 영웅호걸이 그 뉘러니?

ㄴ. 대장이 누구러니?

ㄷ. 여기가 어디러니?

(39) 「-려느냐」: 「-려 하느냐」의 준말.

ㄱ. 무슨 연구를 하려느냐?

ㄴ. 왜 그를 찾으려느냐?

ㄷ. 멧돼지를 잡으려느냐?

ㄹ. 왜 그것을 먹으려느냐?

(40) 「-ㄹ까」: 받침 없는 어간에 두루 붙어 물음을 나타내는 종결어미.

ㄱ. 어디로 갈까?

ㄴ. 무엇을 탈까?

ㄷ. 언제 그를 만날까?

(41) 「-ㄹ쏘냐」: 받침 없는 어간에 두루 붙어 강한 반응을 나타내는 종결어미. 예스러운 표현으로 해라할 자리에 쓰인다.

ㄱ. 늦더위 있다 한들 절세야 속일쏘냐?

ㄴ. 겉이 희다 한들 속까지 흴쏘냐?

ㄷ. 돈이 있다 한들 백억까지 있을쏘냐?

(42) 「-을래」: 받침 있는 어간에 붙어 상대방외 의사를 물어 보는 종결어미.

ㄱ. 같이 가지 않을래?

ㄴ. 이것을 먹을래?

ㄷ. 언제 갈래?

ㄹ. 무엇을 찾을래?

(43) 「-ㄹ런고」: 「-ㄹ런가」의 예스럽거나 정중한 말.

ㄱ. 언제 올런고?

ㄴ. 어디로 갈런고?

ㄷ. 무엇을 찾을런고?

(44) 「-ㄹ런가」: 받침 없는 어간에 붙어 상대방의 겪은 바에 따른 가능성이나 추측을 물어 보는 종결어미.

ㄱ. 그 일이 잘 <u>될런가</u>?

ㄴ. 그것이 얼마나 더 <u>클런가</u>?

ㄷ. 그가 바로 우리가 이야기하던 그 <u>사람일런가</u>?

(45) 「-려나」: 「-려 하나」가 줄어든 말로 추측하여 묻거나 하는 의문형 종결어미.

ㄱ. 내일은 그가 <u>오려나</u>?

ㄴ. 무슨 일을 <u>하려나</u>?

ㄷ. 우리 언제 다시 <u>만나려나</u>?

(46) 「-으려느냐」: 「-려 하느냐」가 줄어든 말.

ㄱ. 무슨 공부를 <u>하려느냐</u>?

ㄴ. 누가 여기로 <u>오려느냐</u>?

ㄷ. 그가 언제 <u>오려느냐</u>?

ㄹ. 어디로 <u>가려느냐</u>?

(47) 「-으려는지」: 동사어간에 붙어 상대방이나 어떤 대상에 대하여 의문을 나타낸다. 「-하려 하는지」의 준말.

ㄱ. 그가 무엇을 <u>하려는지</u>?

ㄴ. 소가 여물을 잘 <u>먹으려는지</u>?

ㄷ. 비가 <u>오려는지</u>?

나. 보통비칭

이에는 「-는가/ㄴ가」, 「-는고」, 「-는다지」, 「-(으)니」, 「-든가/던가」, 「-던가/-든고」, 「-려는지」, 「-ㄹ꼬/-을꼬」, 「-ㄹ런가」, 「-을는지」, 「-려는가」, 「-려는고」, 「-려던가」, 「-은가」, 「-은고」, 「-ㄹ려고」, 「-으려던가」, 「-을쏜가」.

(1) 「-는가/-ㄴ가」 : 동사 어간이나 형용사와 "이다"의 때를 나타내는 「-았/-었」「-겠」 따위에 붙어 하게 할 자리에 쓰이는 의문형 종결어미.

ㄱ. 어디로 가는가?
ㄴ. 언제 왔는가?
ㄷ. 비가 내리겠는가?
ㄹ. 돈이 없는가?
ㅁ. 그 사람이 누구였는지?

(2) 「-는고」 : 동사 어간이나 형용사 「이다/아니다」 의 때를 나타내는 「-았/-었」「-겠」 따위에 붙어 하게 할 자리에 쓰는 의문형 종결어미

ㄱ. 무얼 하는고?
ㄴ. 누가 왔는고?
ㄷ. 돈이 왜 없는고?
ㄹ. 그가 누구였는고?

(3) 「-는다지」: 「-는다 하지」가 줄어든 말

ㄱ. 약을 먹는다지?

ㄴ. 언제 간다지?

ㄷ. 그가 언제 온다지?

ㄹ. 그 곳은 말이 많다지.

ㅁ. 이것은 아니라지.(「이다/아니다」에는 「라지」가 쓰인다.)

(4) 「니」: 각 어간에 두루 붙어 하게 할 자리에 쓰이는 의문의 종결어미.

ㄱ. 어디 가니?

ㄴ. 낮에 무엇을 먹었니?

ㄷ. 이게 네 가방이니?

ㄹ. 그는 언제 오니?

(5) 「-든가」는 : 「-던가」와 같은 뜻으로 쓰인다. 예사 낮춤에 쓰여 지난 일을 묻는 종결.

ㄱ. 왜 공부를 열심히 하지 않던가?

ㄴ. 어디로 가든가?

ㄷ. 그곳은 멀든가?

ㄹ. 차가 분비던가?

ㅁ. 왜 내가 어리석었던가?

(6) 「-던고/-든고」: 예사낮춤에 쓰여 지난 일을 돌이켜 물은 종결어미

ㄱ. 그는 무얼 하던고?

ㄴ. 내가 얼마나 바보였던고?

ㄷ. 고국 산천이 얼마나 그리웠던고?

ㄹ. 그는 무슨 일을 하든고?

ㅁ. 얼마나 멀던고?

(7) 「-려는지」: 「-려 하는지」가 줄어든 말

ㄱ. 언제 가려는지?

ㄴ. 비라도 내리려는지?

ㄷ. 어디로 가려는지?

(8) 「-ㄹ꼬/-을꼬」 어간에 붙어 하게 할 자리에 쓰이어 의문을 나타내는 종결어미

ㄱ. 무엇을 먹을꼬? (스스로의 의문)

ㄴ. 혼자서 그 일을 어떻게 했을꼬? (가능성 의문)

ㄷ. 날씨가 이렇게도 더울꼬?

ㄹ. 그가 누구일꼬?

(9) 「을런가」: 각 어간에 두루 붙어 상대방의 겪은 바에 따를 가능성이나 추측을 물어 보는 종결어미

ㄱ. 그 일이 잘 될런가?

ㄴ. 그것이 얼마나 더 클런가?

ㄷ. 그가 바로 우리가 이야기 하던 그 사람일런가?

(10) 「-ㄹ는지/-을는지」: 어간에 두루 붙어 의문을 나타내는 종결어미. "하게 할"자리에 쓰인다.

ㄱ. 그 일을 어떻게 할는지?

ㄴ. 그가 이 돈을 받을는지?

ㄷ. 그의 말이 먹혀들어 갈는자?

ㄹ. 시험에 합격할는지?

(11) 「-려는가」: 「-려 하는가」의 준말

ㄱ. 언제 가려는가?

ㄴ. 무엇을 하려는가?

ㄷ. 무엇을 먹으려는가?

ㄹ. 이것을 받으려는가?

(12) 「-려는고」: 「-려 하는고」의 준말

ㄱ. 언제 가려는고?

ㄴ. 일이 잘 될려는고?

ㄷ. 왜 만나려는고?

(13) 「-려던가」: 「-려 하던가」의 준말

ㄱ. 무엇을 하려던가?

ㄴ. 어디로 가려던가?

ㄷ. 그는 누구를 도우려던가?

ㄹ. 무슨 옷을 입으려던가?

(14) 「-은가」: 받침 있는 형용사 어간에 붙어 예사낮춤에 쓰이는 의문형 종결어미

ㄱ. 그것이 좋은가?

ㄴ. 그 아름다운가.

ㄷ. 얼굴이 고운가?

ㄹ. 그가 행동이 올바른가?

(15) 「-은고」: 받침 있는 형용사 어간이나 동사 어간에 쓰이어 하게할 자리에 쓰이는 의문형 종결어미

ㄱ. 그 산은 얼마 높은고?

ㄴ. 그 물이 얼마니 깊은고?

ㄷ. 촛불이 얼마나 밝은고?

ㄹ. 그가 무슨 일을 하는고?

(16) 「-ㄹ려고」: 「-려고」.

ㄱ. 지금 갈려고?

ㄴ. 벌써 점심을 먹을려고?

ㄷ. 지금 가려고?

ㄹ. 무슨 일을 할려고?

(17) 「-으려던가」: 「-려 하던가」의 준말.

ㄱ. 무엇을 하려던가?

ㄴ. 그는 집에 있으려던가?

ㄷ. 오늘 그는 등산하려던가?

이 어미는 상대방의 의도를 묻는 경우에 의문법으로 쓰인다.

(18) 「-을쏜가」 : 받침 있는 동사나 형용사 어간에 붙어 하게할 사이에 강한 반문을 나타내는 의문형 종결어미.

ㄱ. 불사약을 어찌 인력으로 구할쏜가?

ㄴ. 몸이 검어도 마음까지 검을쏜가?

ㄷ. 얼굴이 곱다고 마음까지 고울쏜가?

다. 보통존칭

이에는 「-오」, 「-(으)려오」, 「-러이까」, 「-댓나요」, 「-리까」, 「-리요」, 「-소」, 「-지오」.

(1) 「-오」 : 받침 없는 어간에 붙어 예사높임에 쓰이는 의문형 종결어미.

ㄱ. 어디에 가오?

ㄴ. 학교에 가오?

ㄷ. 무엇을 사오?

ㄹ. 날씨가 따뜻하오?

ㅁ. 얼마나 깊으오?

(2) 「-으려오」 : 「-려 하오」가 준말.

ㄱ. 어서 가려오?

ㄴ. 누가 하시려오?

ㄷ. 무엇을 먹으려오?

(3) 「-러이까」 : 「-더이가」의 뜻으로 「이다/아니다」의 어간에만 붙어 쓰이는 의문형 종결어미.

ㄱ. 그는 어떤 사람이러이까?

ㄴ. 그 학생은 우등생이러이까?

ㄷ. 그곳은 열대지방이 아니러이까?

(4) 「-댔나요」 : 「-댔」은 「-다고 했」의 준말.

ㄱ. 그가 먹었댔나요?

ㄴ. 그가 통과됐댔나요?

ㄷ. 모심가 끝났댔나요?

(5) 「-(으)리요」 : 어간에 붙어 상대방의 의사를 묻는 예사높임의 의문형 종결어미.

ㄱ. 나는 무슨 일을 하리요?

ㄴ. 어디로 가리요?

ㄷ. 언제 오시리요?

ㄹ. 세일을 누가 막으리요?

(6) 「-리까」 : 어간에 붙어 상대방의 의사를 묻는다.

ㄱ. 어디를 가리까?

ㄴ. 무엇을 하리까?

(7) 「-소」 : 하오할 자리에 붙어 의문을 나타내는 종결어미

ㄱ. 책을 읽소?

ㄴ. 언제 갔소?

ㄷ. 언제 왔소?

ㄹ. 어디로 다녀 왔소.

(8) 「－지요」 : 각 어간에 붙어 의문을 나타내는 종결어미

ㄱ. 어디로 가지요?

ㄴ. 무엇을 먹지요?

ㄷ. 언제 떠나시지요?

이 어미는 의문사와 함께 쓰여야 자연스럽다.

라. 극존칭

이에는 「－나이까」, 「－ㄴ답니까」, 「－는답디까」, 「－더니이까」, 「－더랍디까」, 「－더랍니까」, 「－더이까」, 「－렵니까」, 「－랍니까」, 「－랍디까」, 「－러이까」, 「－리까」, 「－ㅂ니까」, 「－ㅂ디까」, 「－사옵니까」, 「사옵니까」, 「－습디까」, 「－습니까」, 「－으오니까」, 「－으오리이까」, 「－옵니까」, 「－으옵디까」, 「－으리까」, 「－으오리까」, 「－으오리이까」 등이 있다.

(1) 「－나이까」 : 매우 정중한 태도로 합쇼할 자리에 대하여 묻는 의문형 종결어미

ㄱ. 어디로 가시나이까?

ㄴ. 대장부는 목숨을 털끝보다 가벼이 여기나이까?

ㄷ. 별일 없나이까?

ㄹ. 그 분이 누구였나이까?

(2) 「-는 답니까」 : 「-는다 합니까」의 준말

ㄱ. 먹는답니까?

ㄴ. 잘 지낸답니까?

ㄷ. 감자를 심는답니까?

ㄹ. 고구마를 캔답니까?

(3) 「-는답디까」 : 「-는다 합디까」의 준말

ㄱ. 먹는답디까?

ㄴ. 무엇을 찾는답디까?

ㄷ. 잘 있답디까?

ㄹ. 무슨 공부를 한답디까?

ㅁ. 잘 있답디까?

(4) 「-더니이까」 : 「-더이까」의 예스런 말. 각 어간에 두루 붙어 아주 높임에 지난 사실을 돌이켜 생각하여 정중하게나 예스럽게 물을 때 쓰이는 종결어미

ㄱ. 잘 산다고 하더니이까?

ㄴ. 잘 있다고 하더이까?

ㄷ. 그것이 없더니이까?

ㄹ. 할 일 없더니이까?

ㅁ. 그가 누구더니이까?

ㅂ. 그가 누구더이까?

(5) 「-더랍니까」: 「-더라합니까」의 준말

ㄱ. 가더랍니까?

ㄴ. 그를 만났더랍니까?

ㄷ. 그게 크더랍니까?

ㄹ. 산이 얼마나 높더랍니까?

ㅁ. 어떤 사람이더랍니까?

(6) 「-더랍디까」: 「-더라 합니까」의 준말로 의문 종결형어미

ㄱ. 가서 보았더랍디까?

ㄴ. 얼마나 비싸더랍디까?

ㄷ. 얼마나 크더랍디까?

ㄹ. 운동장이 얼마나 넓더랍디까?

ㅁ. 이제 보통이더랍디까?

(7) 「-더이까」: 각 어간에 더루 붙어 아주높임에 지난 사실을 돌이켜 생각하여 정중하게 예스럽게 물을 때 쓰이는 종결어미

ㄱ. 잘 산다고 하더이까?

ㄴ. 그것이 없더이까?

ㄷ. 그가 누구이더이까?

ㄹ. 벌써 다녀왔더이까?

ㅁ. 잘 하겠더이까?

(8) 「-렵니까」: 「-려고 합니까」의 준말

ㄱ. 무엇을 하시렵니까?

ㄴ. 어디를 가시렵니까?

ㄷ. 무슨 음식을 자시렵니까?

ㄹ. 오늘 등산가시렵니까?

ㅁ. 언제 가시렵니까?

(9) 「-랍니까」: 「-라 합니까」의 준말

ㄱ. 여기가 어디랍니까?

ㄴ. 무엇이랍니까?

ㄷ. 거기에 계시랍니까?

ㄹ. 어시 오시랍니까?

(10) 「-랍디까」: 「-라 합디까」의 준말

ㄱ. 가시랍디까?

ㄴ. 무엇이랍디까?

ㄷ. 이게 아니랍디까?

ㄹ. 평소에 식사를 잘 하시랍디까?

(11) 「-러이까」: 「-더이까」의 뜻으로 「이다/아니다」의 어간에만 붙어 쓰이는 종결어미

ㄱ. 그는 어떤 사람이러이까?

ㄴ. 이게 무엇이러이까?

ㄷ. 그곳이 어르신의 고향이 아니러이까?

ㄹ. 이것이 보약이러이까?

(12) 「-리까」: 받침 없는 어간에 두루붙어 물음을 나타내는 종결어미로 동사 어간에 붙어 쓰이면 그렇게 할 뜻을 상대에게 물어 봄을 나타낸다.

ㄱ. 제가 해 보리까?
ㄴ. 어떻게 하리까?
ㄷ. 무엇을 드리리까?
ㄹ. 어디로 가오리까?
ㅁ. 제가 받으리까?
ㅂ. 이것을 드리리까?

(13) 「-ㅂ니까」: 받침 없는 어간에 두루 붙어 합쇼할 자리 물음을 나타내는 종결어미 받침 다음에는 매개모음 「의」를 필요로 하나 대개 「습니까」가 잘 쓰인다.

ㄱ. 어디 갑니까?
ㄴ. 얼마나 기쁩니까?
ㄷ. 이것이 무엇입니까?

(14) 「-ㅂ디까」: 받침 없는 어간에 붙어 합쇼할 자리에 상대방이 보거나 듣거나 겪은 사실에 대하여 물을 때 쓰이는 종결어미. 받침 다음에는 매개모음 「으」를 필요로 하나 대개 「-습디까」가잘 쓰인다.

ㄱ. 뭐라 합디까?
ㄴ. 보리가 아직 푸릅디까?
ㄷ. 누구랍디까?
ㄹ. 그것이 무엇이랍디까?

(15) 「-사옵니까」 : 「사옵」 「-나이까」가 줄어서 합하여 된 말

ㄱ. 식사는 잘 먹사옵니까?

ㄴ. 어린이는 잘 있사옵니까?

ㄷ. 교통편이 괜찮사옵니까?

ㄹ. 모무들 안녕하사옵니까?

(16) 「-사옵디까」 : 「-사옵」 「-더이까」가 줄여 합하여 된 말.

ㄱ. 그는 잘 있사옵디까?

ㄴ. 약은 잘 먹사옵디까?

ㄷ. 이사는 잘 하였사옵니까?

ㄹ. 그는 무엇을 찾사옵니까?

(17) 「-습디까」 : 받침 있는 각 어간이나 때를 나타내는 비종결어미에 붙어 아무높임에 상대방이 보거나 듣거나 겪은 사실에 대하여 물을 때 쓰이는 종결어미.

ㄱ. 그는 이미 떠났습디까?

ㄴ. 무슨 말을 들었습디까?

ㄷ. 보기에 좋습디까?

ㄹ. 그 일을 하시겠습디까?

ㅁ. 그가 누구였습디까?

(18) 「-습니까?」 : 받임 있는 어간에 두루 붙어 아주높임에 물음을 나타내는 종결어미.

ㄱ. 갔습니까?

ㄴ. 산이 얼마나 높습니까?

ㄷ. 극돗이 아름답습니까?

ㄹ. 그는 잘 살겠습니까?

ㅁ. 그는 누구였습니까?

(19) 「-으오니까」: 받임 있는 형용사 어간에 붙어 합쇼할 자리에 물음을 나타내는 종결어미. 예스러운 표현에 쓰인다.

ㄱ. 얼마나 높으오니까?

ㄴ. 그렇게도 많으오니까?

ㄷ. 얼마나 받으오리까?

(20) 「-으오리까」: 종결어미 「-으리까」를 겸손하게 나타내는 말.

ㄱ. 누구를 믿으오리까?

ㄴ. 제가 대신 있으오리까?

ㄷ. 이것을 받으오리까?

(21) 「-으오리이까」: 「-으오리까」의 예스럽고 정중한 말

ㄱ. 임의 말씀 믿으오리이까?

ㄴ. 왜 그런 약소가 없으오리이까?

ㄷ. 무엇을 읽으오리이까?

(22) 「-으옵니까」: 「-으옵」에 「나이까」가 줄어 합하여 진 말 받침 있는 동사나 형용사 어간에 붙어 합쇼할 자리에 물음을 나타내는 종결어미로 쓰인다.

ㄱ. 읽으옵니까?

ㄴ. 서로 같으옵니까?

ㄷ. 제 말씀을 믿으옵니까?

(23) 「-으옵디까」 : 「-으옵」에 「-더이까」가 줄어 합하여 진 말

ㄱ. 그의 말을 믿으옵디까?

ㄴ. 옳은 말을 잘 들으옵디까?

ㄷ. 어려운 글을 잘 읽으옵디까?

ㄹ. 보잘 것 없는 선물이라도 잘 받으옵디까?

ㅁ. 그는 무슨 작업을 하옵디까?

4. 명령법

가. 극하대법

에에는 「-거라」, 「-너라」, 「-ㄴ」, 「-라(고)」, 「-라니까」, 「-란다」, 「-어라」, 「-여라」, 「-으라」, 「-으라고」, 「-으람」, 「-으란다」, 「-으라나」, 「-으라니까」, 「-라네」, 「-으라지」, 「-으려무나」, 「-으렴」, 「-오여라」, 「-을지어라」, 「-렷다」.

(1) 「-거라」 : 명령형 어미 「-아라/-어라」의 변이형태

ㄱ. 어서 가거라.

ㄴ. 여기 있거라.

ㄷ. 일찍 자거라.

ㄹ. 어서 들어가거라.

(2) 「-너라」: 「오다」의 어간에 붙어 명령을 나라내는 종결어미 「아라」의 변이 형태.

ㄱ. 어서 오너라.

ㄴ. 빨리 올라오너라.

(3) 「-ㄴ」: 「-너라」가 줄어서 된 어미로 「-너라」보다 더 친근한 맛을 나타내는 어미

ㄱ. 아가야, 이리 온.

ㄴ. 나물 좀 뜯어 온.

(4) 「-라/라고」: 「이다/아니다」의 어간에 붙어 해라할 자리에 쓰이는 종결어미

ㄱ. 그것도 먹어라?

ㄴ. 그런 짓을 하지 말아라.

ㄷ. 어서 가라고.

ㄹ. 빨리 해라.

(5) 「-(으)라니까」: 받침 없는 동사에 붙어 명령하는 뜻의 종결어미.

ㄱ. 그만 가라니까.

ㄴ. 어서 오라니까.

ㄷ. 어서 먹으라니까.

ㄹ. 이 책을 읽으라니까.

(6) 「-란다」: 「-라 한다」가 줄어든 말.

ㄱ. 여기 있으란다.

ㄴ. 일찍 자란다.

ㄷ. 빨리 피하란다.

ㄹ. 많이 먹으란다.

(7) 「-어라/-아라」: 「-아라」는 끝 음절의 모음이 「-ㅏ/-ㅗ」인 동사 어간에 붙어 시킴을 내고 「-어라」는 끝 음절의 모음이 「ㅐ, ㅓ, ㅔ, ㅕ, ㅚ, ㅟ, ㅡ, ㅓ, ㅣ」인 동사 어간에 붙어 명령을 나타내는 종결어미

ㄱ. 이것을 받아라.

ㄴ. 아가 보아라.

ㄷ. 못 먹을 것은 뱉어라.

ㄹ. 많이 먹어라.

ㅁ. 벽의 그림을 떼어라.

ㅂ. 바꾸어라.

ㅅ. 높이 뛰어라.

(8) 「-으라」: 받침 있는 동사 어간에 붙어 해라 할 자리에 시킴을 나타낸다.

ㄱ. 먼저 저편의 기세를 꺾으라.

ㄴ. 내 말을 잘 들으라.

ㄷ. 밥을 어서 먹으라.

ㄹ. 보리를 잘 밟으라.

(9)「-으라고」: 시킴의 말끝「-어라」에 인용격 조사「고」가 더하여 명령의 뜻을 나타낸다.

ㄱ. 어서 먹으라고.

ㄴ. 빨리 오라고.

ㄷ. 어서 공부하라고.

(10)「-으람」:「-으라함」이 줄어든 말

ㄱ. 여기 있으람.

ㄴ. 거기로 가람.

ㄷ. 잘 받아쓰함.

ㄹ. 멀리 떠나람.

(11)「-으란다」:「-으라 한다」의 준말

ㄱ. 가만히 있으란다.

ㄴ. 빨리 제비를 뽑으란다.

ㄷ. 잘 받아쓰란다.

ㄹ. 멀리 떠나란다.

(12)「-으라나」: 동사 어간에 붙어 명령을 나타낸다.

ㄱ. 여기 있으라나.

ㄴ. 이것을 먹으라나.

ㄷ. 빨리 오라나.

(13) 「-라니까」: 「-라하니까」의 준말

ㄱ. 여기 있으라니까.

ㄴ. 빨리 가라니까.

ㄷ. 조용히 하라니까.

(14) 「-라네」: 「-라 하네」가 줄어든 말.

ㄱ. 빨리 먹으라네.

ㄴ. 어서 오라네.

ㄷ. 잘 있으라네.

(15) 「-으라지」: 「-으라 하지」의 준말

ㄱ. 가만히 있으라지.

ㄴ. 빨리 먹으라지.

ㄷ. 그를 보내라지.

(16) 「으려무나」: 받침 있는 동사 어간에 붙어 해라 할 자리에 간곡한 시킴의 뜻을 나타내는 종결어미. ㊟으렴

ㄱ. 서 있기 힘들면 앉으려무나.

ㄴ. 같이 가려무나.

ㄷ. 어서 먹으려무나.

ㄹ. 편안히 누우려무나.

(17) 「-으렴」: 「-으려무나」의 준말

ㄱ. 먹고 싶으면 먹으렴.

ㄴ. 여기 있고 싶으면 있으렴.

ㄷ. 자고 싶으면 자렴.

(18) 「-여라」: 동사 어간 「하」에 붙어 아주낮춤에 시킴을 나타내는 종결어미.

ㄱ. 열심히 공부하여라.

ㄴ. 부지런히 일하여라.

ㄷ. 이번에 국회의원 선거에 출마하여라.

(19) 「-을지어다」: 받침 있는 동사 어간에 붙어 마땅히 하여야 한다의 뜻을 나타내는 종결어미. 예스러운 정중한 표현에 쓰인다.

ㄱ. 어른의 말씀을 잘 들을지어라.

ㄴ. 조용히 지낼지어다.

ㄷ. 피난을 먼 곳으로 갈지어다.

(20) 「-렷다」: ㄹ받침 이외의 받침 없는 동사어간에 붙어 시킴을 나태는 종결어미

ㄱ. 부분대로 거행하렷다.

ㄴ. 다시는 그런 짓은 하지 말렷다.

ㄷ. 제발 조용히 하렷다.

ㄹ. 일을 빨리빨리 하렷다.

나. 보통하대

에는 「-ㄴ게」, 「-으라네」, 「-어/-아」, 「-세」, 등이 있다.

(1) 「-게」 : 동사나 일부 동사처럼 쓰이는 형용사에 쓰이며 예사낮춤에 서 시킴에 쓰인다.

ㄱ. 잘 가게.
ㄴ. 가만이 있게.
ㄷ. 좀 솔직하게.
ㄹ. 그랬다가 심하게 매을 맞게.
ㅁ. 할 말이 있으면 하게.

(2) 「으라네」 : 「-라 하네」가 줄어든 말

ㄱ. 다 오라네.
ㄴ. 여기서 살라네.
ㄷ. 조용히 하라네.
ㄹ. 어서 가라네.

(3) 「-아/-어」 : 「아」는 끝음절의 모음이 「ㅏ ㅑ ㅗ」인 동사나 동사스러운 형용사 어간에 붙어 명령을 나타내고 「ㅔ」는 끝음절이 「ㅐ, ㅓ, ㅔ, ㅖ ㅕ, ㅚ, ㅜ ㅞ ㅟ, ㅡ, ㅓ, ㅣ」 인 어간과 「-았-」에 붙어 쓰이어 명령을 나타내는 종결어미

ㄱ. 이리 내어.
ㄴ. 어서 먹어.
ㄷ. 이리 와.
ㄹ. 빨리 차를 몰아.

(4) 「-세」 동사와 일부 형용사 어간에 붙어 하게 할 자리에 어떤 행동을 함께 하자는 뜻으로 말할 때 쓰이는 종결어미.

ㄱ. 같이 가세.
ㄴ. 같이 먹세.
ㄷ. 힘껏 일해 보세.
ㄹ. 산천 구경을 가세.
ㅁ. 함께 일하세.

다. 보통존대

이에는 「-구려」, 「-어요」, 「-으라오」, 「-래요」, 「-ㅂ시오」, 「-아요/-어요」, 「-소」, 「-세요」 등이 있다.

(1) 「-구려」 동사 어간에 붙어 「하오」 할 자리에서 좋을 대로 시키거나 권하는 뜻을 나타내는 종결어미.

ㄱ. 당신도 가구려.
ㄴ. 생각대로 하구려.
ㄷ. 같이 오구려.

(2) 「-어요」 반말어미 「-어」에 높임의 보조사 「요」가 덧붙어 하오할 자리에 시킴을 나타내는 종결어미

ㄱ. 어서 먹어요.
ㄴ. 편히 앉아요.
ㄷ. 이것을 받아요.
ㄹ. 누워 있어요.

(3) 「-으라오」: 「-으라 하오」의 준말

ㄱ. 자기를 꼭 믿으라오.

ㄴ. 여기서 기다리라오.

ㄷ. 돈을 빨리 갚으라오.

(4) 「-으래요」: 「으라 해요」의 준말.

ㄱ. 자리에 앉으래요

ㄴ. 가만이 있으래요

ㄷ. 편지를 잘 받으래요.

ㄹ. 그리 오래요.

(5) 「-읍시오」: 받침 있는 동사 어간에 붙어 하오할 자리에 시킴을 나타내는 종결어미.

ㄱ. 여기 앉읍시오.

ㄴ. 그를 믿읍시오.

ㄷ. 같이 먹읍시오.

ㄹ. 좀 들어갑시오.

(6) 「-어요/-아요」: 반말 어미 「어」에 높임의 보조사 「요」가 덧붙어 하오할 자리에 시킴의 뜻을 나타내는 종결어미

ㄱ. 어서 먹어요.

ㄴ. 여기를 보아요.

ㄷ. 편안히 누워요.

ㄹ. 같이 가요.

ㅁ. 한글을 배워요.

(7) 「-소」 하오 할 자리에 두루 붙어 시킴을 나타내는 종결어미

ㄱ. 이내 말씀 들어 보소.

ㄴ. 차 시간 늦을라 어서 가소.

ㄷ. 이리 오소.

(8) 「-세요」 : 이 어미는 「-셔요」와 뜻이 같은데 「-셔요」는 「-시어요」의 준말이다. ㊟-세요.

ㄱ. 가만히 가만히 오세요.

ㄴ. 어서 가셔요.

ㄷ. 주셔요.

ㄹ. 돈을 갚으세요.

라. 극존칭

이에는 「-으랍니다」, 「-으랍디다」, 「-으세요=으셔요」, 「-옵/-으소서」, 「-으십시오」.

(1) -으랍니다」 : 「-으라 합니다」의 준말

ㄱ. 이 책을 읽으랍니다.

ㄴ. 여기 있으랍니다.

ㄷ. 삼국사기를 사 오랍니다.

ㄹ. 스승의 은혜를 갚으랍니다.

(2) 「-으랍디다」 : 「-라 합디다」의 준말

ㄱ. 비가 올 것 같으니 어서 가랍디다.

ㄴ. 조용히 살랍디다.

ㄷ. 그는 나더러 차를 몰랍디다.

ㄹ. 이 문에 대하여 연구 하랍디다.

ㅁ. 상을 받으랍디다.

(3) 「-으세요=으셔요」 : 「-으셔요」는 「-으시어요」가 줄어든 말

ㄱ. 앉으세요.

ㄴ. 어서 가셔요.

ㄷ. 어서 오세요.

ㄹ. 수고하셔요.

ㅁ. 잘 계세요.

(4) 「-소서」 받침 없는 동사 어간에 붙어 합쇼 할 자리에 시킴을 나타내는 종결어미. 간결한 바람의 뜻을 나타낸다.

ㄱ. 용서하소서.

ㄴ. 통촉하여 주옵소서.

ㄷ. 뜻대로 하옵소서.

ㄹ. 하나님 저에게 복을 주소서.

(5) 「-으십시오」 : 「-읍시오」의 더 높임말

ㄱ. 이 술 한 잔을 받으십시오.

ㄴ. 앉으십시오.

ㄷ. 저를 믿으십시오.

ㄹ. 아버님 절 받으십시오.

ㅁ. 할아버지 좋은 옷을 입으십시오.

5. 권유법

가. 극하칭대

에에는 「-자꾸나」, 「-자」, 「-아/-어」.

(1) 「-자꾸나」 : 종결어미 「-자」의 친근한 말

ㄱ. 어서 가 보자꾸나.

ㄴ. 같이 여기 있자꾸나.

ㄷ. 어서 가자꾸나.

ㄹ. 여기서 점심을 먹자꾸나.

(2) 「-자」 : 동사와 일부 형용사 어간에 붙어 아주낮춤에 어떤 행을 함께 하자는 뜻으로 말할 때 쓰이는 종결어미.

ㄱ. 나비야 청산 가자. 범나비 너도 가자.

ㄴ. 시냇가에서 점심을 먹자.

ㄷ. 우리 모두 열심히 일하자.

ㄹ. 희망을 향하여 달려가자.

(3)「-아」: 끝음절 모음이「ㅏ ㅑ ㅗ」인 동사, 형용사 어간에 붙어 청유의 뜻을 나타내는 종결어미.

ㄱ. 나하고 같이 가아.

ㄴ. 영화를 함께 보아.

ㄷ. 같이 앉아.

ㄹ. 같이 자아.

(4)「-어」: 끝 음절의 모음이「ㅐ, ㅓ, ㅔ, ㅖ ㅕ, ㅚ, ㅜ ㅞ ㅟ, ㅡ, ㅢ, ㅣ」인 동사 형용사 어간에 붙어 쓰이어 청유의 뜻을 나타내는 종결형어미

ㄱ. 우리와 같이 먹어.

ㄴ. 여기 같이 있어.

ㄷ. 그를 같이 믿어.

ㄹ. 모를 같이 심어.

나. 보통하대

에에는「-ㅁ세」,「-세」 등이 있다.

(1)「-ㅁ세」 받침 없는 동사 어간에 붙어 꾀임의 뜻을 나타내는 서술형 종결어미.

ㄱ. 우리 끼리 그냥 감세.

ㄴ. 그의 말을 들어 봄세.

ㄷ. 거기에 같이 감세.

ㄹ. 같이 탐세.

다. 보통존대

에에는 '-어요/-아요', '-읍시다' 등이 있다.

(1) 「-어요/-아요」 : 반말 어미 「-어/-아」에 높임의 보조사 「요」가 덧붙어 꾀임을 나타내는 종결어미.

ㄱ. 같이 먹어요.

ㄴ. 같이 가요.

ㄷ. 같이 놀아요.

ㄹ. 이 차를 같이 타요.

ㅁ. 같이 누어요.

(2) 「-읍시다」 :받침 있는 동사 어간에 붙어 하오 할 자리에 어떤 행동을 함께 하자는 뜻을 나타내는 종결어미

ㄱ. 그의 말을 믿읍시다.

ㄴ. 같이 갑시다.

ㄷ. 여기 앉읍시다.

ㄹ. 제발 같이 놀아 봅시다.

라. 극존대

에에는 '-으십시다', '-으사이다', '-옵소서' 등이 있다.

(1) 「-읍십시다」 : 받침 없는 동사나 일부 형용사에 붙어 합쇼할 자리에 어떤 행동을 함께 하자는 뜻을 나타내는 종결어미.

ㄱ. 같이 가십시다.

ㄴ. 내일 또 만나십시다.

ㄷ. 좀 냉정하십시다.

ㄹ. 더욱 신중하십시다.

(2) 「-으사이다」: 받침 있는 동사 어간에 붙어 합쇼할 자리에 청원을 나타내는 종결어미. 예스러운 표현에 쓰인다.

ㄱ. 그의 말씀을 들으사이다.

ㄴ. 같이 가사이다.

ㄷ. 이곳에 당분간 머무사이다.

ㄹ. 그이의 약속을 믿으사이다.

ㅁ. 이 꽃향기를 같이 맡으사이다.

(3) 「-옵소서」: 동사 어간에 붙어 청원을 나타내는 종결어미.

ㄱ. 나 보기가 역겨워 가실 때는 말 없이 가시옵소서.

ㄴ. 안녕히 계시옵소서.

ㄷ. 못난 저를 믿으시옵소서.

6. 감탄법

다른 학자들은 감탄법을 설정하지 않았으나 이번에 어미 조사를 하고 보니 감탄법을 설정하는 것이 좋은 것 같아 어미 분류의 한 갈래로 설정하였다. 그런데 감탄법은 높임의 등분이 없음이 하나의 특징이다. 감탄에 높임의 구분이 있을 수 없기 때문이다.

감탄법 어미에는 다음과 같은 것이 있다.

「-구나」, 「-군」, 「-구려」, 「-는구나」, 「-는구려」, 「-는구료」, 「네」, 「-노라」, 「-는지고」, 「-더구려」, 「-도다」, 「-라」, 「-라니」, 「-ㄹ거나」, 「-로고」, 「-로구려」, 「-ㄹ러라」, 「-로소이다」, 「-ㄹ사」, 「-을세라」, 「-을씨고」, 「-어라」, 「-을지고」, 「-라네」, 「-ㄴ다네」, 「-구먼」, 「-을씨고」.

(1) 「-구나」 : 용언 어간에 널리 붙어 아주낮춤이나 혼잣말에서 느낌이나 깨달음을 나타내는 종결어미. ㉾군

ㄱ. 봄 봄이로구나 봄이로구나 봄이로구나 이팔청춘 벙끗하는 봄이로구나.

ㄴ. 꽃이 아름답게 피었구나.

ㄷ. 아이구 좋구나.

ㄹ. 기분 좋구나

(2) 「-구려」 :용언 어간에 두루 붙어 "하오"할 자리에서 감탄 느낌. 따위를 베풀어 나타내는 종결어미.

ㄱ. 싸구려.

ㄴ. 참 좋구려.

ㄷ. 기쁘구려.

ㄹ. 벌써 가을이구려.

(3) 「-ㄴ구나」: 「-구나」의 뜻으로 동사 어간에 붙어 현재를 나타내는 종결어미

ㄱ. 벌써 가는구나.

ㄴ. 슬퍼서 우는구나.

ㄷ. 눈이 많이 오는구나.

(4) 「-는구려」: 동사 어간에 붙어 명령, 권유, 감동의 뜻을 나타내는 종결어미.

ㄱ. 기가 차는구려.

ㄴ. 당신도 가는 구려.

ㄷ. 희망에 찬 새해 아침해가 환하게 돋는구려.

(5) 「-는구료」: 「-는구려」의 이형태

ㄱ. 망국의 슬픔을 안고 고국을 떠나는구료.

ㄴ. 어디로 가는구료.

ㄷ. 눈물 나는구료.

(6) 「-네」: 감탄을 나타내는 종결어미

ㄱ. 참으로 큰일 났네.

ㄴ. 전쟁이 끝나서 참으로 좋네 좋네.

ㄷ. 올해도 풍년이 들었네.

ㄹ. 롯또가 당첨되었네. 아이 좋아라.

(7) 「노라」: 동사와 형용사 어간에 붙어 감동을 나타내는 종결어미

ㄱ. 우리는 독립국의 국민임을 선언하노라.

ㄴ. 기가 차노라.

ㄷ. 울분이 차서 말을 못 하겠노라.

(8) 「-는지고」: 동사 어간에 붙어 느낌, 감동을 나타내는 종결어미. 현재를 나타낸다.

ㄱ. 세월은 폭포수처럼 빨리 가는지고.

ㄴ. 너무나 많은 비가 퍼붓는지고.

ㄷ. 참 잘 하는지고.

(9) 「-더구려」: 각 어간에 붙어 겪은 사실을 감탄적으로 나타내는 종결어미

ㄱ. 그곳 봄 경치가 참으로 아름답더구려.

ㄴ. 애국지사가 감옥에서 참혹한 생활을 하더구려.

ㄷ. 간 임이 다시 오더구려.

(10) 「-도다」: 동사와 형용사 어간에 붙어 정중한 느낌을 나타내는 종결어미

ㄱ. 비가 오도다. 비가 오도다.

ㄴ. 오도다 오도다. 새 봄이 오도다

ㄷ. 이제 해방이 되었도다.

(11) 「-라」: 「이다/아니다」의 어간에 붙어 감탄이나 예스러운 표현을 나타낸다.

ㄱ. 백리 단양 흐르는 물은 굽이굽이 만경이라.

ㄴ. 오늘이 광복절이라.

ㄷ. 자주독립은 우리의 행운이라.

(12) 「-라니」: 「-라 하니」의 준말로 「이다/아니다」의 어간에 붙어 새삼스럽게 깨달음이나 감탄을 나타낸다. 의문의 뜻도 띠는 경우가 있다.

ㄱ. 그렇게 신통한 약이라니.

ㄴ. 이게 웬 떡이라니.

ㄷ. 뭐라고? 그게 웬 소리라니?

(13) 「-ㄹ거나」: 받침 없는 동사 어간에 붙어 감탄의 의미를 나타내는 종결어미

ㄱ. 아이고, 이를 어쩔거나.

ㄴ. 어디로 갈거나. 피난을.

ㄷ. 화창한 봄날에 꽃구경을 갈거나.

(14) 「-로고」: 「-로군」과 비슷하되 예스럽거나 괴이한 느낌을 나타내는 종결어미

ㄱ. 알 수 없는 일이 로고.

ㄴ. 참으로 괴이한 사건이 로고.

ㄷ. 꿈에 본 임이 로고.

(15) 「-로구려」: 「이다/아니다」나 형용사 어간에 붙어 「-로 구려」보다 좀 예스럽거나 좀 다지는 느낌을 나타낸다.

ㄱ. 아이구, 비싼 값이로구려.

ㄴ. 세상살이 참 어려운 일이로구려.

ㄷ. 벗어나기 힘든 고비로구려.

ㄹ. 달이 밝구료.

(16) 「-ㄹ러라」: 주로 형용사나 「이다」에 쓰이어 감탄의 뜻을 나타낸다.

ㄱ. 아이들이 참으로 착할러라.

ㄴ. 금쪽같이 소중한 아들 일러라.

ㄷ. 참으로 살기 좋은 곳일러라.

(17) 「-로소이다」: 「-올시다」의 예스러운 말로 더 정중한 느낌을 나타낸다.

ㄱ. 나는 왕이로소이다.

ㄴ. 창세 전부터 아버지께서 나를 사랑한 것이로소이다.

ㄷ. 잘난 아들은 둘도 없는 보물이로소이다.

(18) 「-ㄹ사」: 받침 없는 형용사 어간에 붙어 감탄을 나타내는 종결어미.

ㄱ. 고마울사 이런 일이.

ㄴ. 예쁠사 웃는 얼굴이여.

ㄷ. 아름다울사 국화꽃이여.

(19) 「－ㄹ세라」 : 받침 없는 어간에 붙어 감탄을 나타내는 종결어미

ㄱ. 참으로 마음씨도 고울세라.

ㄴ. 고시에 합격하였으니 참으로 기쁠세라.

ㄷ. 성사되었으니 그런 기쁜 일이 없을세라.

(20) 「－ㄹ씨고」 받침없는 어간에 붙어 감탄의 뜻을 나타낸다.

ㄱ. 이 섬을 빙빙도는 바닷물이 고울씨고.

ㄴ. 좋을씨고.

ㄷ. 기쁠씨고.

(21) 「－어라」 : 끝음절의 모음이 「ㅐ, ㅓ, ㅔ, ㅖ ㅕ, ㅚ, ㅜ ㅞ ㅟ, ㅡ, ㅢ, ㅣ」인 형용사와 「이다」의 어간에 붙어 느낌을 나타내는 종결어미.

ㄱ. 그지 없어라.

ㄴ. 아이구, 가엾어라.

ㄷ. 가고 파라 가고 파.

ㄹ. 벅찬 기쁨이어라.

(22) 「－은지고」 : 받침 있는 동사와 형용사의 어간에 붙어 느낌을 나타내는 종결어미

ㄱ. 어 애닯은 지고.

ㄴ. 아아, 가엾은 지고.

ㄷ. 아아, 참으로 넓은 지고.

감탄법은 마할이의 감동. 느낌을 감탄적으로 나타내므로 존대니 하대

니 하는 대우법에는 아무 상관이 없으며 오로지 감동한 바를 나타내므로 연결법은 전혀 없다.

(23) 「－라네」: 「이다/아니다」의 어간에 붙어 어떤 사실이 감동스러움을 나타내는 서술형 종결어미

ㄱ. 정 이월 다 가고 삼월이라네. 강남 갔던 제비가 돌아오면은 이 땅에도 봄이 온다네.

ㄴ. 오늘이 설이라네.

ㄷ. 여기가 극락이라네.

ㄹ. 벌써 봄이라네.

ㅁ. 내일이면 벌써 졸업이라네.

(24) 「－ㄴ다네」: 받침 없는 동사 어간에 붙어 어떤 사실을 베풀어 말하면서 감탄스러움을 나타내는 종결어미.

ㄱ. 강남 갔던 제비가 돌아오면은 이 땅에도 또 다시 봄이 온다네.

ㄴ. 아지랑이 끼는 들녘에 봄의 소리가 들린다네.

ㄷ. 우리도 같이 간다네.

(25) 「－구먼」: 용언의 어간에 널리 붙어 느낌을 나타내는 종결어미.

ㄱ. 간밤에 비가 왔구먼.

ㄴ. 꽃이 피겠구먼.

ㄷ. 참 좋겠구먼.

(26) 「-을씨고」 : 받침 없는 어간에 붙어 감탄의 뜻을 나타내는 종결 어미.

ㄱ. 백옥산 올라가서 선관선녀 모였구나! 신선풍류 좋을씨고.

ㄴ. 만경창파 넓을씨고.

ㄷ. 보름달 밝을씨고.

7. 약속법

이에는 「-(으)마」, 「-ㄹ게」, 이외에 종결어미로서 「-겠다」가 있으나 여기서는 「-(으)마」, 「-ㄹ게」만 다루기로 하겠다.

(1) 「(으)마」 : 받침 있는 동사어간에 붙어 쓰이는 종결어미로 자기가 그 행동을 하겠다는 약속을 나타낸다.

ㄱ. 내가 맡으마.

ㄴ. 나도 읽으마.

ㄷ. 내가 도와 주마.

ㄹ. 너의 말을 믿으마.

ㅁ. 지금 내가 가마.

(2) 「-ㄹ게」 : 받침 없는 동사 어간에 붙어 자기가 어떻게 할 뜻을 상대방에게 약속함을 나타내는 종결어미.

ㄱ. 사 줄게.

ㄴ. 다녀 올게.

ㄷ. 내가 말할게.

ㄹ. 너에게 좋은 옷을 사 줄게.

8. 반말

이에는 1.서술 종결형의 반말과 2. 의문형의 반말이 있는데 서술 종결형 반말에는 명령형 반말과 서술형 반말의 두 가지고 있고 의문형 반말에서 명령형 의문반말과 의문형 반말의 두 가지가 있다.

가-1 명령형 반말

이에는 「-라나」, 「-어/-아」가 있다.

(1) 「-라나」 : 주로 받침 없는 동사 어간에 붙어 시키는 사실에 대하여 못마땅하거나 귀찮거나 함을 나타내는 반말투의 종결어미.

ㄱ. 나더러 다녀 오라나.

ㄴ. 맛없는 이것을 먹으라나.

ㄷ. 조용히 있으라나.

ㄹ. 누더기 같은 이 옷을 입으라나.

(2) 「-아」 : 끝음절 모음이 「ㅏ ㅑ ㅗ」인 동사 형용사 어간에 붙어 쓰이며 명령을 나타내는 종결어미.

ㄱ. 같이 가아.

ㄴ. 페달을 힘차게 밟아.

ㄷ. 빨리 들어와.

ㄹ. 잘 읽어 보아.

(3) 「-어」 : 끝음절 모음이 「ㅐ, ㅓ, ㅔ, ㅖ ㅕ, ㅚ, ㅜ ㅞ ㅟ, ㅡ, ㅢ, ㅣ」 인 어간 따위에 붙어 명령은 나타내는 종결어미.

ㄱ. 이리 내어.

ㄴ. 이 나무를 베어.

ㄷ. 줄을 잘 그어.

ㄹ. 그를 믿어.

ㅁ. 이 글을 잘 읽어.

ㅂ. 빨리 달려.

ㅅ.이 약을 마셔.

ㅇ.머리를 잘 빗어

가-2 : 서술형 반말

이에는 「-ㄴ걸」, 「-남」, 「-더구먼」, 「-던걸」, 「-라네」, 「-려네」, 「-ㄹ걸」, 「-아/-어」 등이 있다.

(1) 「-ㄴ걸」 : 「-는 것을」이 준 말로 스스로 느끼어 말하거나 상대자에게 어떤 사실을 알게 하는 태도로 말할 때 쓰이는 반말투의 서술형 종결어미.

ㄱ. 잘도 달리는걸.

ㄴ. 날이 더워지는걸.

ㄷ. 아는 사람이 없는걸.

ㄹ. 날씨가 좋겠는걸.

ㅁ. 나도 아는 사람이 없는걸.

(2)「-남」:「-나 뭐」의 줄어진 꼴로 동사 형용사 어간에 붙어 가볍게 반박하는 뜻을 나타내는 반말투의 종결어미

ㄱ. 거길 누가 가남.

ㄴ. 언제 내가 한댔남.

ㄷ. 양이 너무 많남.

(3)「-더구먼=-더구만」: 각 어간에 붙어 반말이나 혼잣말에서 지난 느낌이나 깨달음 따위를 베풀어 나타내는 종결어미

ㄱ. 그도 잘 알더구먼=그도 잘 알더구만.

ㄴ. 벌써 돌아왔더구먼.

ㄷ. 산이 꽤 높더구만.

ㄹ. 꾀 얌전한 사람이더구먼(만)

(4)「-던걸」:「-던 것을」이 줄어든 말로 어간에 두루 붙어 지난 일을 돌이켜 말할 때 쓰이는 반말투의 서술형 종결어미

ㄱ. 그는 말을 잘 하던걸.

ㄴ. 금강산을 가 보니 참 좋던걸.

ㄷ. 과연 명산이던걸.

ㄹ. 조금 전에 그가 왔던걸.

ㅁ. 그때 만날 수 있었던걸.

(5) 「-라네」: 「-라 하네」가 줄어든 말

ㄱ. 그는 내 친구의 아우라네.

ㄴ. 이 책이 귀중본이라네.

ㄷ. 정이월 다 가고 삼월이라네.

ㄹ. 그녀는 나의 친구라네.

(6) 「-려네」: 「-려 하네」가 줄어든 말

ㄱ. 나는 곧 가려네.

ㄴ. 내일은 눈이 오려네.

ㄷ. 나도 같이 가려네.

ㄹ. 이 옷을 사려네.

(7) 「-을 걸」: 「-을 것을」이 준 말로 받침있는 어간에 붙는 반말투의 서술형 종결어미. 지난 일에 대하여 뉘우치거나 아쉬움을 나타냄과 아울러 추측을 나타내기도 한다.

ㄱ. 집에 있을걸.

ㄴ. 조심하면 그런 일이 없었을걸.

ㄷ. 그는 집에 있을걸.

ㄹ. 그래도 좋을걸.

ㅁ. 그 사람이었을걸.

(8) 「-어」: 반말을 나타내는 종결어미의 끝음절 모음이 「ㅐ, ㅓ, ㅕ, ㅚ, ㅜ, ㅔ ㅟ, ㅡ, ㅓ, ㅣ」인 어간과 「-았」 따위에 붙어 서술을 나타내는 반말투의 종결어미.

ㄱ. 이 꽃이 붉어.

ㄴ. 이 과일이 시어.

ㄷ. 줄을 잘 그어.

ㄹ. 다 그런 법이여.

ㅁ. 그 말을 나도 믿었어.

ㅂ. 그녀는 참으로 예뻐.

ㅅ. 오늘은 날씨가 추워.

(9) 「-아」 : 반말을 나타내는 종결어미의 하나. 끝음절 모음이 「ㅏ ㅑ ㅗ」인 동사와 형용사 어간에 붙어 서술을 나타낸다.

ㄱ. 날씨가 좋아.

ㄴ. 그는 착해.

ㄷ. 이 물은 아주 맑아.

ㄹ. 이 편지를 좀 읽어 보아.

ㅁ. 같이 가아.

나-1 : 의문 · 명령형 반말

이에는 「-래」, 「-으라고」의 둘이 있다.

(1) 「-래」 : 「-라 해」의 준말로 동사와 형용사와 「이다」의 어간에 붙어 베풀어 말하거나 물음을 나타내는 반말투 종결어미의 하니, 구어에 쓰인다.

ㄱ. 빨래 오래.

ㄴ. 좀 침착하래.

ㄷ. 조용하래.

(2) 「-으라고」: 받침 없는 동사 어간에 붙어 그렇게 될까 봐 조심스러워 하면서 반문할 때 쓰이는 반말투의 종결어미

ㄱ. 우산도 없이 옷이 다 젖으라고?
ㄴ. 무엇을 먹으라고.
ㄷ. 이 더러운 옷을 입으라고.

나-2 : 의문 서술형 반말

이에는 「-고」, 「-는다지」, 「-는다며」, 「-는다면서」, 「-담/-ㄴ담」, 「-대」, 「-람」, 「-아/-어」, 「-은지」, 「-을라고」, 「-ㄹ라고', 「-을지」, 「-래」, 「-을라고」 등이 있다.

(1) 「-고」: 물음, 빈정거림 항의 따위를 나타내는 반말투의 종결어미.

ㄱ. 그럼 너는 무엇하고?
ㄴ. 누가 가고?
ㄷ. 그렇게 말하는 당신은 친절하고?
ㄹ. 돈이 없다면서 지갑속의 그것은 무엇이고?

(2) 「-는다지」: 받침없는 동사 어간에 붙어 어떤 사실을 캐 묻는 뜻을 나타내는 반말 종결어미

ㄱ. 너도 간다지?
ㄴ. 왜 그렇게 바람이 분다지?

ㄷ. 우리는 어떻게 한다지?

(3) 「-ㄴ다며」 : 「-ㄴ다면서」의 준말

ㄱ. 너는 그를 싫어한다며?

ㄴ. 서울 간다며?

ㄷ. 미국으로 유학 간다며?

ㄹ. 공부를잘 한다며?

(4) 「-는다면서」 : 「-다면서」의 뜻으로 받침 없는 동사 어간에 붙어 현재를 나타낸다.

ㄱ. 너는 그를 싫어한다면서?

ㄴ. 내일 비가 온다면서?

ㄷ. 이게 세계적 명저라면서?

ㄹ. 그녀가 예쁘다면서?

(5) 「-담」 : 동사와 형용사 어간에 붙어 「-단 말인가」의 뜻으로 물음 또는 상대방에게 가벼운 핀잔을 주거나 느낌 따위를 나타내는 반말투의 종결형어미

ㄱ. 무슨 일을 그렇게 한담?

ㄴ. 이 일을 어쩐담?

ㄷ. 그런 사실도 몰랐담?

ㄹ. 뭐가 그렇게 좋담?

(6) 「-대」 : 「다 해」의 줄어든 말로 동사와 '이다'의 때를 나타내는 선어말어미 다음에 형용사 어간에 붙어 겪은 사실을 근거로 베풀어 말할 때나 물을 때 쓰이는 종결어미.

ㄱ. 그는 간대?
ㄴ. 그 꽃이 붉대?
ㄷ. 집에 있겠대?
ㄹ. 그도 보았대?
ㅁ. 그것이 사실이었대?

(7) 「-람」 : 주로 받침 없는 동사 어간에 붙어 「-랬나 뭐」의 뜻으로 가볍게 핀잔을 주거나 언짢음을 나타내는 반말투의 물음을 나타내는 종결어미

ㄱ. 누가 아프람?
ㄴ. 누가 그렇게 하람?
ㄷ. 그것이 무엇이람.
ㄹ. 그래도 사실이 아니람.

(8) 「-어」 : 반말을 나타내는 종결어미의 하나. 끝음절모음이 「ㅐ, ㅓ, ㅔ, ㅕ, ㅚ, ㅜ, ㅞ ㅟ, ㅡ, ㅞ, ㅟ, ㅡ, ㅣ」인 어간과 「-았-」 따위에 붙어 쓰이며 의문을 나타낸다.

ㄱ. 아직 젊어?
ㄴ. 무엇을 먹어?
ㄷ. 어디를 가아?
ㄹ. 무엇을 물어?

ㅁ. 얼마나 깊어?

(9) 「-은지」: 받침 있는 동사나 형용서 어간에 붙어 의문을 나타내는 종결형어미

ㄱ. 얼마나 큰 일을 겪은지?

ㄴ. 물이 얼마나 깊은지?

ㄷ. 바다가 얼마나 넓은지?

(10) 「-을라고」: 받침 있는 어간 붙는 반말투로 묻는 종결어미

ㄱ. 설마 혼자 갔을라고?

ㄴ. 그렇게 붉을라고?

ㄷ. 그러다가 욕 먹을라고?(반문임)

ㄹ. 그게 뭐 아플라고?

(11) 「-ㄹ라고」: 받침 없는 어간에 붙어 반말 투로 묻는 종결어미

ㄱ. 설마 혼자 갈라고?(의식하면서 묻는말)

ㄴ. 그것이 가짜이라고(위와 같음)

ㄷ. 그러다가 큰 코 다칠라고?(반문)

ㄹ. 뭐 할라고?

(12) 「-을지」: 추측하여 묻거나 가능성을 묻는 반말투의 종결어미

ㄱ. 하마 그가 왔을지?

ㄴ. 그만한 돈이 있을지?

ㄷ. 그는 언제 갈지?

ㄹ. 그에게서 무엇을 배울지?

(13) 「래」 : 「라 해」의 준말. 구어에 쓰인다.

ㄱ. 누구하고 갈래?

ㄴ. 언제 올래?

ㄷ. 지금 갈래?

ㄹ. 빨리 올래?

(14) 「-으라고」 : 받침 있는 동사 어간에 붙어 그렇게 될까 봐 조심스러워 하면서 반문할 때 쓰이는 반말투의 종결어미.

ㄱ. 우산도 없이 옷이 다 젖을라고.

ㄴ. 너 혼자 무엇을 할라고?

ㄷ. 어디로 갈라고?

ㄹ. 무엇을 찾을라고?

ㅁ. 무슨 공부를 할라고?

ㅂ. 무슨 사업을 하라고?

제 2 부 연결형어미

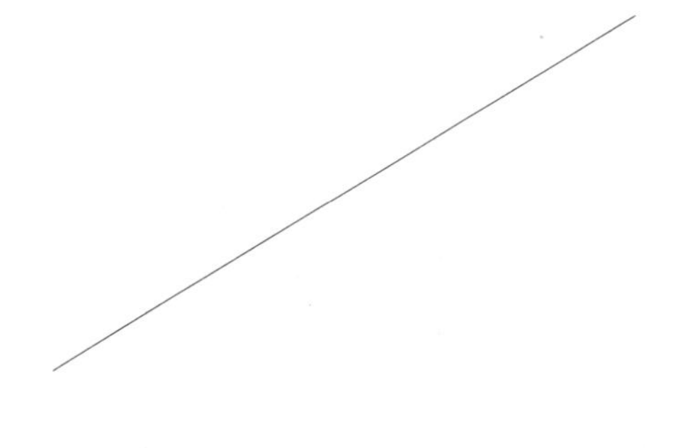

1. 가정법 2. 까닭법 3. 완료법 4. 결과법 5. 불구법 6. 나열법 7. 설명법 8. 비교법 9. 선택법 10. 동시법 11. 중단법 12. 첨가법 13. 비례법 14. 의도법 15. 의문법 16. 처지법 17. 노력법 18. 아쉬운법 19. 추정법 20. 반복법 21. 병행법 22. 거듭법 23. 진행법 24. 강조법 25. 겸손법 26. 목적법 27. 명령법 28. 시간법 29. 도금법 30. 겸양법31. 정도법 32. 망설임법 33. 조건법 34. 강조법 35. 권유법 36. 수단방법법 37. 원인, 근거법 38. 담화법 39. 유사(동일)법 40. 미침법 41. 무관법 42. 근거법 43. 전제법 44. 지적법(진술법) 45. 마땅함과 못마땅함 46. 상태법 47. 거만함법 48. 확실성법 49. 경험법 50. 이행어미 51. 인정법

제1장 연결형어미의 분류

1. 가정법

(1) 「-거든」: 가정 또는 조건 삼아 말할 때 쓰이는 연결어미로 준 어미에는 「-건」이 있다.

ㄱ. 날이 개거든 떠나시오.
ㄴ. 그 모자가 크거든 다른 것으로 바꾸시오.
ㄷ. 만일 배가 고프거든 식사를 하여라.
ㄹ. 믿지 못할 사람이건 가까이 하지 말라.
ㅁ. 돈이 많건 믿어도 될까?
ㅂ. 이게 좋건 가져 가거라.

(2) 「-노라면」: 동사 어간에 붙어 '하다가 보면', '계속하여 한다면'의 뜻으로 지속이나 가정적 조건을 나타내는 연결어미

ㄱ. 사노라면 잊힐 일 있으리라.
ㄴ. 시골길을 걷노라면 기분이 아주 좋다.
ㄷ. 파란 하늘을 우러러 보고 있노라면 날아오르고 싶다.

(3) 「-(는)다손」: 받침 있는 동사 어간에 붙어 주로 「치다」와 함께 쓰이어 가정하는 뜻을 나타낸다.

ㄱ. 아무리 빨리 읽는다손치더라도 두 시간은 걸릴 것이다.
ㄴ. 그래 빨리 걷는다손치더라도 그렇다고 하루에 백리를 더 가랴.
ㄷ. 그가 간다손치더라 일이 잘 해결될까?

ㄹ. 밤 새워 일한다손치러라도 하루 이틀에 끝날 일이 아니다.

ㅁ. 그가 집에 있다손치더라도 우리를 잘 만나 줄까?

(4)「더라도」: 각 어간에 두루 붙어 가정이나 양보의 뜻을 나타내는 연결어미. 「-아도? -어도」보다 그 뜻이 더 센 느낌을 띤다.

ㄱ. 비를 맞더라도 가야겠다.

ㄴ. 아무리 어렵더라도 해야 할 일이다.

ㄷ. 만일 돈이 있더라도 빌려 줄까?

(5)「더래도」:「더라 해도」가 풀어든 말.

ㄱ. 시골에 살더래도 건강이 좋지 않은 듯하다.

ㄴ. 돈이 많더래도 근검절약하여야 한다.

ㄷ. 아무리 잘 살더래도 겸손해야 한다.

(6)「더라면」: 주로「-았/-었」등에 붙어 지난 사실을 돌이켜 생각하면서 그와 달리 가정하는 뜻을 나타내는 연결어미.

ㄱ. 비가 좀 더 왔더라면 좋았을 것을…

ㄴ. 돈이 좀 넉넉하였더라면 다 살 수 있었는데.

ㄷ. 그 선물이 책이었더라면 오래오래 간직하였을 텐데.

(7)「-더라손」: 각 어간에 붙어 "치다"와 함께 쓰이어 경험적으로 가정하는 뜻을 나타낸다.「-다라손」과는 달리 동사와「이다/아니다」의 경우 어간에 바로 붙어도 쓰이나 현재의 때를 나타내는 선어말어미에는 안 쓰인다.

ㄱ. 아무리 잘 뛰더라손치더라도 선수야 당하랴?

ㄴ. 돈은 없다손치더라도 기조차 꺾이랴?

ㄷ. 그게 사실이라손치더라도 믿을 수가 없다.

ㄹ. 보았다손치더라도 확실하지 아니 하다.

(8) 「-던들」: 「-았/-었」 다음에 붙어 지난 사실을 달리 가정하거나 양보적으로 나타낼 때 쓰인다.

ㄱ. 전작 알았던들 무슨 대책이든 못 세웠겠느냐.

ㄴ. 돈이 많았던들 넉넉히 주고 왔을걸, 정성이 지극하였던들 그런 일은 없었을텐데.

(9) 「-ㄹ작시면」: 받침 없는 동사 어간에 붙어 "그 행동에 이르게 되면"의 뜻을 나타내는 연결형어미. 흔히 "보다"에 잘 붙고 우습거나 언짢은 경우에 잘 쓰인다.

ㄱ. 그 춤추는 꼴을 볼작시면 우스꽝스럽기 짝이없다.

ㄴ. 일을 할작시면 다잡아 하여라.

(10) 「-라손」: 「이다/아니다」의 어간에만 붙어 "치다"와 함께 쓰이어 가정하는 뜻을 나타내는어미

ㄱ. 그가 힘센 사람이라손치더라도 그 물건은 못 들 것이다.

ㄴ. 그가 영웅이라손치더라도 나포레옹만큼은 못할 것이다.

(11) 「-런들」: 「이다/아니다」의 어간만 붙는 연결어미의 하나. 지난 사실을달리 가정하거나 양보적으로 나타낼 때 쓰이는 「-던들」의

좀 예스러운말

ㄱ. 그날이 언제런들 왜 안 왔었겠어.

ㄴ. 그것이 아무리 좋은 보석이런들 갈고 다듬어야 한다.

(12) 「-으면(은)」: 불확실한 사실에 대한 가정적 조건을 나타낸다.

ㄱ. 아까 떠났으면은 이미 닿았을텐데.

ㄴ. 여기에 나무를 심었으면은 잘 자랐을텐데.

ㄷ. 좀더 많았으면은 모두에게 나눠 주었겠지만…

ㄹ. 그 여자였으면은 더 좋았을걸.

(13) 「-면(은)」: 'ㄹ' 이외의 받침 없는 어간에 붙어 불확실한 사실에 대한 가정적 조건을 나타낸다. 「-면은」은 「-면」의 힘줌말

ㄱ. 비가 오면(은) 논을 갈텐데.

ㄴ. 이 옷이 크면(은) 언니가 입도록 해야지.

ㄷ. 열 사람이면은 이 일을 해 낼텐데.

2. 까닭법

(1) 「-거니」: 각 어간에 두루 붙어 쓰이는 연결형어미로 까닭의 뜻을 나타낸다.

ㄱ. 주려 죽으려고 수양산에 들었거니 설마 고사리를 먹으려고 캐었으랴?

ㄴ. 산천이 어둡거니 일월을 어찌 보며… 밤이 어둡거니 혼자서 어

찌 가리.

(2) 「-건대」 : 용언 어간에 두루 붙어 까닭이나 근거를 나타낸다.

ㄱ. 네가 먼저 어찌 했건대 그가 성을 내었나?

ㄴ. 길이 험하건대 이리 돌아왔다.

ㄷ. 그것이 무엇이건대 그리도 가지고 싶어하나.

(3) 「-거든」 : 까닭의 뜻을 나타내는 연결형어미

ㄱ. 아, 어젯밤에 비가 왔거든 물이 이렇게 불지 않겠소

ㄴ. 그가 보물을 가져 갔거든 잡혀 와서 혼이 났다.

ㄷ. 인물이 예쁘거든 남의 사랑을 받는다.

(4) 「-관대」 : 어떤 사실에 대하여 그 까닭이나 근거를 물을 때 예스러운 표현에 쓰이는 연결형어미

ㄱ. 요새 무엇을 하관대 한번도 오지 아니하오.

ㄴ. 네 힘이 얼마나 세관대 그렇게 뽐내느냐?

ㄷ. 너는 무엇이관대 이내 단꿈 울어 깨우나?

(5) 「-기로」 : 연결어미로 까닭의 뜻을 나타낸다.

ㄱ. 꽃이 하도 아름답기로 뜰에 심어 보았다

ㄴ. 틀림없이 옥이기로 가지고 왔다

(6) 「-기에」 : 까닭을 나타내는 연결어미

ㄱ. 그가 청하기에 가 보았소.

ㄴ. 비가 오기에 집에 있었다.

ㄷ. 봄날이 하도 좋기에 꽃 구경을 하러 갔다.

ㄹ. 향기 좋은 꽃이기에 한 포기 사다 심었지오.

(7) 「-길래」 : 「-기에」의 변이 형태

ㄱ. 산넘어 남촌에는 누가 살길래 해마다 봄바람이 남으로 오데.

ㄴ. 그가 조용히 있기래 공부하는 줄 알았다.

ㄷ. 그들이 이겼길래 저리 야단이지.

(8) 「-는지라」 : 동사 어간이나 형용사와 "이다"의 「-았-/-었-」에 붙어 까닭이나 근거를 나타낸다

ㄱ. 비가 오는지라 도로 들어갔다.

ㄴ. 돈이 없느지라 사지 못 하였다.

ㄷ. 길이 먼지라 늦게 도착하였다.

(9) 「-노니」 : 예스러운 글말에 까닭이나 근거를 나타내는 연결어미. 「나니」보다 먼 정중한 뜻을 띤다.

ㄱ. 새로 스물여덟 자를 만드노니 사람마마 해여 쉽게 익혀…

ㄴ. 너희에게 이르노니 말 조심하여라.

ㄷ. 길을 모르노니 어떻게 찾아갈까.

(10) 「-아/-어」 : 동사나 형용사의 어간에 두루 붙어 까닭, 근거 따위를 나타낸다.

ㄱ. 물이 얕아 건너기 쉽다.

ㄴ. 밑이 좁아 차가 못 간다.

ㄷ. 개가 짖어 나가 보았다.

ㄹ. 길이 멀어 늦게 왔다.

(11) 「-아서/-어서」: -아/-어에 보조사 "서"가 붙어서 그 뜻을 더 분명하게 나타내는 말

ㄱ. 가을 하늘이 높아서 기분이 더욱 좋다.

ㄴ. 길이 멀어서 늦게 왔다.

ㄷ. 오늘은 맑아서 날씨가 좋다.

ㄹ. 물이 깊어서 겨우 건넜다.

(12) 「-은지라」: 받침이 있는 동사, 형용사 어간에 붙어 까닭이나 근거의 뜻을 나타내는 연결어미

ㄱ. 점심을 이미 먹은지라 더 먹을 생각이 없소.

ㄴ. 그는 말 재간이 좋은지라 아무도 그를 당할 수 없다.

ㄷ. 날씨가 추운지라 방에서 공부하였다.

ㄹ. 우리는 이미 이긴지라 더 이상 그들과 다툴 필요가 없다.

(13) 「-매」: 받침 없는 어간에 붙어 까닭이나 근거를 나타내는 연결어미. 임이 해오시매 나는 전혀 믿었더니…

ㄱ. 집이 가난하매 공부하기가 어려웠고…

ㄴ. 그는 어진 사람이매 물욕에 빠질 리가 없다.

ㄷ. 강이 깊으매 큰 고기가 살고 덕이 넓으매 인물이 모여 드니라.

ㄹ. 비가 왔으매 강물이 불었지.

(14) 「-래서」: 「이라 해서」가 준말로 이다/아니다의 어간에 붙어 까닭을 나타낸다

ㄱ. 그가 잘난 사람이래서 존경하는 것이 아니다.

ㄴ. 이것이 명저래서 사 간다.

ㄷ. 그는 애국자래서 존경한다.

(15) 「-(으)므로」: 받침 없는 각 어간에 붙어 까닭이나 근거를 나타내는 연결어미

ㄱ. 비가 오므로 가지 않겠다.

ㄴ. 강물이 깊으므로 배로 건넜다.

ㄷ. 돈이 넉넉하므로 걱정이 없다.

ㄹ. 자네도 보았으므로 알게 아닌가?

ㅁ. 이것이 보물이므로 소중히 하여야 한다.

(16) 「-으사」: "으시어"의 뜻으로 쓰이는 예스러운 말

ㄱ. 마음이 일광과 같으사 귀천 남녀 없이 다 비취건마는…

ㄴ. 복이 많으사 평생을 고생없이 살았다.

ㄷ. 그는 심상이 깊으사 그 속을 알 수가 없다.

(17) 「-을새」: 받침 있는 동사나 형용사 어간에 붙는 연결어미.

ㄱ. 눈 위를 걸으새 발자취가 뚜렷하고…

ㄴ. 물이 맑을새 고기가 없느니라.

(18) 「-을 세라」 : 근거나 까닭을 나타내는 연결어미

ㄱ. 그는 관심이 없을세라 들은 척도 않았다.

ㄴ. 학생들은 방학으로 기분이 좋을세라 모두들 기뻐한다.

ㄷ. 날씨가 좋을세라 소풍길에 올랐다.

(19) 「-은 즉」 : 받침있는 동사나 형용사 어간에 붙어 까닭이나 근거를 나타내는 연결형어미.

ㄱ. 약을 먹은즉 곧 효과가 나타났다.

ㄴ. 물이 맑은즉 고기가 깃들지 않는다.

ㄷ. 돈이 많은즉 좋은 일을 하며 산다.

(20) 「-니/-니까」 : 받침 없는 어간에 두루 붙어 까닭이나 근거를 나타내는 연결어미.

ㄱ. 봄이 오니 꽃이 핀다.

ㄴ. 이것은 크니 작은 것으로 바꾸어 주시오.

ㄷ. 이것은 네 것이니 가져 가거라.

ㄹ. 잘 못 하니까 꾸중을 듣지.

ㅁ. 예쁘니까 좋아하지.

ㅂ. 착한 사람이니까 칭찬을 듣는다.

(21) 「-더니」 : 지난 어떤 사실이 까닭이나 근거가 됨을 나타낸다.

ㄱ. 공부를 열심히 하더니 고시에 합격하였다.

ㄴ. 날씨가 덥더니 비가온다.

ㄷ. 남달리 성실한 사람이더니 마침내 성공하였다.

(22) 「-라서」 : 연결어미 「라」에 보조사 「서」 가 붙은 「-라」의 힘줌말.

ㄱ. 낡은 것이라서 싫다.

ㄴ. 그가 아니라서 말을 건네지 않았다.

3. 완료법

(1) 「-고」 : 동사 어간에 붙어 여러 사실을 벌이어 밀항 때 먼저 이루어짐을 나타낸다.

ㄱ. 밥을 먹고 왔다.

ㄴ. 해가 지고 달이 뜬다.

ㄷ. 공부를 마치고 집으로 갔다.

ㄹ. 졸업하고 미국으로 유학을 갔다.

(2) 「-고서」 : 「~고」에 보조사 「서」가 붙어서 어떤 행위가 끝났음을 나타낸다.

ㄱ. 하루 일을 마치고서 푹 쉬었다.

ㄴ. 벼를 모두 베고서 일을 마치었다.

ㄷ. 그는 어디론가 가고서 집에는 없다.

ㄹ. 큰 공을 이루고서 돌아가셨다.

(3) 「-아/-어」 : 앞 동사 어간에 붙어 뒤에 오는 움직임의 앞선 움직임을 나타낸다.

ㄱ. 이끼 되어 맺혔네.

ㄴ. 그는 고시에 합격하여 벼슬자리에 올랐다.
ㄷ. 입신양명하여 효자가 되었다.
ㄹ. 일본은 이차대전에서 미국에 항복하여 전쟁을 끝내었다.
ㅁ. 그는 나를 도와 주었다.

(4) 「-아서/-어서」: 연결어미 「-아/-어」에 보조사 「-서」가 붙어 동작이 끝났음을 분명히 나타낸다.

ㄱ. 그는 출세하여서 이름을 날리었다.
ㄴ. 꽃을 심어서 잘 가꾸었다.
ㄷ. 밭을 갈아서 고구마를 심었다.
ㄹ. 그는 이겨서 명성을 날렸다.
ㅁ. 일이 끝나서 집으로 왔다.

4. 결과법

(1) 「-건대」: 동사 어간에 붙어 어떤 일의 결과의 뜻을 나타낸다.

ㄱ. 듣건대 그가 곧 돌아온다더라.
ㄴ. 씨름에서 그가 이겼건대 박수를 쳤다.
ㄷ. 철이가 알아 보았건대 그런 말을 하겠지.

(2) 「-ㄴ바」: 받침 없는 어간에 두루 붙어 사실을 확인 또는 근거를 나타낸다.

ㄱ. 그의 말을 들어본바 사실과 틀림 없었다.
ㄴ. 그 음식을 먹어본바 참 맛이 좋더라.

ㄷ. 연구해본바 「쏜」은 가정형어미임에 틀림없었다.

(3) 「-ㄴ즉」 : 받침 없는 어간에 붙어 사실을 확인 강조함을 나타낸다. 확인 그 자체가 결과가 된다.

ㄱ. 말을 듣고 본즉 그것은 사실이더라.

ㄴ. 실제로 가서 알아 본즉 그가 잘못 하였더라.

ㄷ. 그가 확인한즉 철이는 잘못이 없음이 확실하더라.

(4) 「-니/-니까」 : 어떤 사실을 먼저 베풀고 이어 그와 관련된 다른 실명이 오게 할 때에 쓰인다.

ㄱ. 김공이 벼슬에 오르니 그때 나이가 스믈 넷이었다.

ㄴ. 압록강은 우리나라에서 제일 크니 길이가 790㎞나 된다.

ㄷ. 보니까, 금강산은 과연 명산이더라.

ㄹ. 먹어 보니까 과연 맛이 일품이더라.

ㅁ. 길을 물으니까 친절히 아르켜 주었다.

(5) 「~기에」 : 보기에 따러서는 까닭을 나타내나 문맥에 따라서는 결과의 뜻을 나타내기도 한다.

ㄱ. 내가 생각하기에 따르면 그는 천재임이 틀림없다.

ㄴ. 내가 듣기에 그는 착함에 틀림없다.

(6) 「-던바」 : 실행 결과를 나타낸다.

ㄱ. 모임을 열었던바 큰 성과를 이루었다.

ㄴ. 열심히 노력하였던바 그 어려운 일이 무사히 끝났다.

(7) 「-아서/-어서」: 어떤 동작의 완료나 결과를 나타낸다.

ㄱ. 낙동강을 막아서 큰 보를 만들었다.

ㄴ. 산을 깎아서 고속도로를 만들었다.

ㄷ. 산에 불을 질러서 화전을 만들었다.

ㄹ. 그는 열심히 일하여서 모은 돈을 이웃을 위하여 희사하였다.

5. 불구법

가. 사실 불구법

(1) 「-지마는」: 어떤 사실을 말하고 그에 대립되는 사실을 말하려 할 때 앞의 용언 어간에 붙어 쓰이는 연결형어미.

ㄱ. 비가 오지마는 안 가서는 안 되오.

ㄴ. 얼음은 단단하지마는 물보다 가볍다오.

ㄷ. 밥은 밥이지마는 못 먹는 밥은 통밥이다.

(2) 「-건마는」: 어떤 사실을 말하고 그에 대립도는 사실을 말하려 할 때 앞의 용언 어간에 붙어 쓰이는 연결형어미 ㊤-건만

ㄱ. 서로 만나기는 하건마는 별로 이야기를 나누지 않는다.

ㄴ. 구경이 좋겠건마는 나는 가지 안겠다.

ㄷ. 달은 이미 추녀 끝에 올랐건만 임은 언제나 오려나.

ㄹ. 할 말은 산 같건마는 붓으로 다 적을 수 없다.

ㅁ. 겉은 사람이건만 속은 짐승이다.

ㅂ. 봄은 왔건만 임은 오지 않네.

(3) 「-거니와」: 어간에 두루 붙어 쓰이는 연결형어미로 서로 대립되는 사실이 이어짐을 나타낸다.

ㄱ. 너희는 자거니와 우리들은 어이할꼬?
ㄴ. 봄은 왔거니와 임은 오지 않네.
ㄷ. 돈은 있거니와 살 만한 물건이 없다.

(4) 「-(으나)」: 앞의 사실이 일치하지 않거나 상관없음을 나타낼 때 쓰이는 연결형어미.

ㄱ. 봄은 오나(왔으나)아직 꽃은 피지 않네.
ㄴ. 밥은 먹었으나 배는 부르지 않다.
ㄷ. 키는 크나 힘이 없다.
ㄹ. 부자이나 검소하다.
ㅁ. 괴루우겠으나 참고 견딥시다.

(5) 「-(으)나마」: 아쉬우나 접어 주는 조건 또는 앞뒤 마디가 대립되는 조건을 나타낸다. 이 어미가 「-나마나」 형으로 쓰이는 일이 있다.

ㄱ. 맛은 좋지 못하나마 드십시오.
ㄴ. 나는 가나마 너는 있거라
ㄷ. 가나마나 상관없다.
ㄹ. 알아 보나나마 그것은 사실이다.
ㅁ. 운동이나마나 나는 귀찮다. (이 뜻은 -나 아니거나 임)

(6) 「-는데(도)」: 앞뒤 마디의 내용이 대립적인 경우에 쓰이는 연결형 어미

ㄱ. 꽃은 피는데(도) 나비는 오지 않는다.

ㄴ. 비가 오는데 바람까지 분다.

ㄷ. 돈은 없는데(도) 쓸데는 많다.

ㄹ. 인물은 예쁜데(도) 좋아하는 사람이 없다.

(7) 「-는다마는」: 앞뒤 마디의 사실이 일치하지 않을 때 쓰이는 연결 어미.

ㄱ. 약은 먹는다마는 차도가 없다.

ㄴ. 공부는 잘 한다마는 성적은 오르지 않는다.

ㄷ. 오늘도 걷는다마는 정처 없는 이 발길.

ㄹ. 애는 쓴다마는 일이 잘 되지 않는다.

(8) 「-다마는」: 서술형 어미 "다"에 접속조사 「마는」이 붙은 어미.

ㄱ. 지금 가겠다마는 일이 잘 될까?

ㄴ. 애를 많이 썼다마는 결과는 좋지 않다.

ㄷ. 어제 갔다마는 별 일이 없더라.

ㄹ. 착한 사람이다마는 믿을 수 없다.

(9) 「-아도/-어도」: 음절이 「-ㅏ, ㅑ」인 동사 형용사 어간에 붙어 쓰이는 연결어미로 양보, 대립적인 두 사실을 말할 때 쓰인다.

ㄱ. 꽃이 아름다워도 나는 싫다.

ㄴ. 비가 와도 가야 한다.

ㄷ. 키는 작아도 마음은 크다.

ㄹ. 미워도 다시 한번.

(10) 「-거나/-거나-거나」: 앞뒤 마디의 움직임이나 상태 따위가 대립되는 뜻을 나타낼 때 쓰이는 연결어미 ㉾-건.

ㄱ. 누가 오거나 알은 척 할 것 없다.

ㄴ. 겉모양이야 어떠하거나 상관없다.

ㄷ. 가거나오거나 마음대로 하여라.

ㄹ. 나무를 심거나 꽃을 심거나 나와는 상관없다.

ㅁ. 어디에 있건 몸 건강하여라.

ㅂ. 오건 말건 내버려 두어라.

(11) 「-언마는」: 「-건마는」의 예스러운 말 ㉾언만

ㄱ. 명랑법사는 원효보다 훨씬 선배건마는 몸소 원효를 그 방으로 찾아갔다.

ㄴ. 그는 나의 선배언마는 아는 게 없다.

(12) 「-지오마는」: 앞뒤 마디의 내용이 서로 대립됨을 나타내는 연결어미.

ㄱ. 비가 알맞게 왔지오마는 풍년이 들까 걱정이다.

ㄴ. 애써 일하지오마는 돈이 모이지 않는다.

ㄷ. 달마가 문안을 드리지오마는 그래도 부모는 한에 안 차시는 듯하다.

나. 추정불구법: 추정의 뜻을 나타내는 불구법

(1) 「-(으)려니와」 : 어떤 사실을 추측으로 인정하면서 뒤의 사실과 나란히 이어 준다.

ㄱ. 노래는 잘 부르려니와 춤은 잘 추지 못한다.
ㄴ. 정원은 아름다우려니와 구경꾼이 별로 없다.
ㄷ. 그는 성공하였으려니와 도모지 남을 도와 주지 않는다.

(2) 「(으)ㄹ지라도」 : 받침 없는 어간에 두루 붙어 그 움직임이나 상태 따위를 가정하거나 인정하여도의 뜻을 나타내는 연결어미.

ㄱ. 그가 갈지라도 별 수 없을 것이다.
ㄴ. 달이 없어 어두울지라도 꼭 가야 한다.
ㄷ. 어떤 장수일지라도 그 소년의 꾀를 당할 수 없었다.
ㄹ. 그가 훌륭한 박사일지라도 이 문제는 해결할 수 없을 것이다.
ㅁ. 그가 아무리 힘이 셀지라도 이 바위는 들 수 없을 것이다.

(3) 「-ㄹ지언정」 : 받침 없는 어간에 두루 붙어 그 움직임이나 상태 따위를 인정하고서 다른 사실을 들어 말할 때 쓰이는 연결어미.

ㄱ. 내 차라리 계림의 개 돼지가 될지언정 왜왕의 신하로 부귀를 노리지 않겠다.
ㄴ. 나는 고독할지언정 그이와는 사귀지 않겠다.
ㄷ. 가난할지언정 지조를 지켜 살 것이다.

(4) 「(으)련마는」 : 받침 없는 각 어간에 붙어 여러 사실을 추측하면서 다른 사실에 대립시키는 연결어미로 「-건마는」과는 달리 때를 나

타내는 「-겠」 뒤에는 붙일 수 없다.

ㄱ. 저 달을 따라가면 임을 보련마는 산수 첩첩 수만리에 무얼로 따라 갈까?

ㄴ. 만나면 반가우련마는 같이 갈 수가 없네.

ㄷ. 그는 좋은 일꾼이련마는 시킬만한 일이 없다. ㊟-련만

다. 양보굴구법 : 앞마디의 내용이 양보의 뜻을 나타내나 뒷마디의 내용은 양보와는 반대 뜻을 나타내는 법

(1) 「-(으)ㄴ들」 : 받침 없는 어간에 붙어 양보를 나타내는 연결어미로 흔히 뒤집는 물음이 온다.

ㄱ. 간다 한들 아주 가며 아주 간들 잊을소냐?

ㄴ. 약인데 맛이 쓴들 어떻게 하겠느냐?

ㄷ. 무엇인들 가져 가거라.

ㄹ. 좀 먹은들 어떠랴.

ㅁ. 좁은들 어떠하며 넓은들 어떠하랴.

(2) 「-(으)ㄹ망정」 : 받침 없는 어간에 두루 붙어 그 움직임이나 상태 따위를 인정하고 다른 사실을 들어 말할 대 쓰이는 어미

ㄱ. 가난하게 살망정 마음은 부자이다.

ㄴ. 몸은 약할망정 마음은 굳다.

ㄷ. 아무리 곤란을 겪을망정 양심은 고칠 수 없다.

ㄹ. 몸은 작을망정 뜻인즉 크다.

ㅁ. 여자일망정 남자가 해야 할 일까지 다 해 내었다.

(3) 「-을지언정」 : 받침 없는 어간에 두루 붙어 그 움직임이나 상태 따위를 인정하고 다른 사실을 들어 말할 때 쓰이는 연결어미. 「을망정」보다 더 다지는 뜻이 있다.

ㄱ. 그가 아무리 어리석을지언정 그런 일은 하지 않는다.

ㄴ. 아무리 애쓴을지언정 성공하기 어려울 것이다.

ㄷ. 죽을지언정 공산당에게는 굴복하지 않을 것이다.

(4) 「-은들」 : 받침 있는 어간에 붙어 양보를 나타내는 연결어미. 흔히 뒤집는 물음이 온다.

ㄱ. 이런들 어떠하며 저런들 어떠하료.

ㄴ. 좀 좁은들 어떠하며 좀 넓은들 어떠하료.

ㄴ. 그가 어려운들 아무도 돕지 않는다.

(5) 「-이라도」 : 받침 있는 체언에 붙어 양보 또는 강조를 나타내는 연결형어미

ㄱ. 넋이라도 있고 없고

ㄴ. 밥 대신 떡이라도 먹겠다.

ㄷ. 무엇이라도 상관하지 않겠다.

(6) 「-더라도」 : 각 어간에 두루붙어 양도의 뜻을 나타낸다. "안되어도"보다 그 뜻이 더 센 느낌을 띤다.

ㄱ. 비를 맞더라도 가야겠다.

ㄴ. 어렵더라도 해야 할 일.

ㄷ. 그것이 보잘것이 없더라도 너그러이 보아 주게

6. 나열법

(1) 「-랴」 : 「이다」의 어간에 「-랴 -랴」꼴로 거듭 쓰이어 무엇을 죽 들어 말함을 나타내는 연결어미

ㄱ. 서울이랴 부산이랴 오르내리며…

ㄴ. 떡이랴 밥이랴 음식을 많이 장만하였다.

(2) 받침 없는 동사 어간에 「-랴 -랴」끌로 거듭 쓰이어 이 일 저 일을 두루 하고자 하는 뜻을 나타내는 연결어미

ㄱ. 가르치랴, 배우랴 한시도 놀 틈이 없다.

ㄴ. 무명을 따랴 고추를 따랴 한창 바쁘다.

ㄷ. 일하랴, 공부하랴 매우 바쁘다.

(3) 「-고」 : 둘 이상의 움직임이나 상태 따위를 단순히 벌여 이어준다.

ㄱ. 읽고 쓰고 한다.

ㄴ. 듣고 보고 한 일

ㄷ. 높고 푸른 하늘

ㄹ. 그는 우등생이고 운동 선수이다.

(4) 「-으니」 : 주로 받침 있는 형용사 어간들에 거듭 붙어 쓰이어 이런 저런 상태를 인용함을 나타내는 연결어미

ㄱ. 넓으니 좁으니 말할 필요가 없다.

ㄴ. 그 강물이 깊으니 얕으니 서로 우긴다.

(5) 「-다느니」: 하게 할 자리에 주로 거듭 쓰이어 이런 저런 사실을 인용하여 이를 때 쓰이는 연결어미. 동사 「이다/아니다」의 경우는 때를 나타내는 선어말어미 뒤에 붙으며 「느니」보다는 더 분명한 뜻을 나타낸다.

ㄱ. 갔다느니 안 갔다느니 야단이다.

ㄴ. 크다니 작다니 말도 많다.

ㄷ. 꿈이었다느니 생시였다느니 분간을 못하고…

ㄹ. 읽는다느니 안 읽는다느니 서로 미룬다.

(6) 「-며」: 「ㄹ」 밖의 받침 없는 어간에 붙어 나열형으로 쓰이는 연결어미. 어떤 움직임이나 상태 따위를 다른 것과 겸하여 이어 준다.

ㄱ. 너는 어떠하며 그는 또 어떠하냐?

ㄴ. 그는 누구이며 무얼하는 사람이냐?

ㄷ. 맛이 쓰며 몸에 좋은 약

ㄹ. 그는 학자며 사업가다.

(7) 「이랑 -이랑」:

ㄱ. 떡이랑 밥이랑 많이 먹었다.

ㄴ. 너랑 나랑 같이 가자.

(8) 「이며-이며 : 받침 있는 명사 다음에 쓰인다.

ㄱ. 떡이며 밥이며 없는 게 없다.

ㄴ. 옷이며 책이며 흩어져 있다,

(9) 「-입네 -입네」

ㄱ. 금입네, 옥입네 온갖 보물을 다 가지고 있다.

ㄴ. 옷입네 신발입네 다 멋있다.

(10) 「-(이)요」:

ㄱ. 이것은 책이요 저것은 연필이다.

ㄴ. 그는 선생이요, 너는 학생이다.

ㄷ. 여기는 서울이요, 거기는 부산이다.

(11) 「-거나 -거나」: 거듭 쓰이어 두 가지 이상의 움직임이나 상태 따위를 나란히 벌여 놓음을 나타낸다.

ㄱ. 나무를 심거나 꽃을 가꾸거나 하는 취미

ㄴ. 길이 멀거나 험하거니 하면 시간이 더 걸리게 마련이다.

ㄷ. 읽는 책이 소설이거나 시이거나 명작들을 많이 읽어라.

7. 설명법

(1) 「-더니」: 각 어간에 두루 붙어 지난 사실을 도리켜 생각하여 나타내는 연결어미. 종결절에 대한 설명을 나타낸다.

ㄱ. 그는 그림을 보더니 좋아하였다.

ㄴ. 영희는 피자를 먹더니 맛이 있다고 좋아하였다.

ㄷ. 그는 집에 가더니 공부를 하였다.

ㄹ. 철이는 일을 하더니 다시 집으로 갔다.

ㅁ. 밥을 먹더니 좋아하였다.

ㅂ. 어제는 비가 오더니 오늘은 눈이 온다.

ㅅ. 그가 가더니 일을 잘 처리하였다.

(2) 「-는바」 : 동사 어간이나 대부분의 형용사와 “이다”의 경우는 「-았, -었, -갔」에 붙어 어떤 사실을 말하면서 뒤에 보충하는 설명이 따름을 나타내는 연결어미.

ㄱ. 집 세 채를 짓는바 두 채는 서양식으로 짓는다.

ㄴ. 반대 의견이 없는바 모두는 이를 따르겠다는 뜻이겠지.

ㄷ. 선생이 그를 찾아간바 그는 공부하고 있었다.

(3) 「-는대서」 : 「-는다 해서」가 준말.

ㄱ. 하루 살고 죽는대서 하루살이 이다.

ㄴ. 그가 유학간대서 나는 노비를 조금 주었다.

ㄷ. 하루에 세 번 먹는대서 삼시 세끼라 한다.

(4) 「-는대서야」 : 「-는다 해서야」가 줄어 든말.

ㄱ. 해가 서쪽에서 돈는대서야 누가 믿겠나

ㄴ. 은혜를 악으로 갚는데서야 사람도 아니다.

ㄷ. 너를 박사라고 한대서야 믿을 사람은 아무도 없다.

(5) 「-는다고」 : 「-다고」의 뜻으로 받침 없는 동사 어간에 붙어 현재를 나타내는 연결어미.

ㄱ. 감기를 앓는다고 결석하였다.

ㄴ. 영희는 공부한다고 집밖을 나오지 않는다.

ㄷ. 그는 고시를 치른다고 주야를 가리지 않고 공부한다.

(6) 「(이)라고」 : 「이다/아니다」의 어간에 붙어 잘못 알았던 사실을 깨달으면서 말할 때 쓰이는 반말투의 연결어미.

ㄱ. 나는 그게 물이라고 여겼더니 수은이었구나.

ㄴ. 그것이 금이라고 잘못 생각하였다.

ㄷ. 네가 박사라고 나는 칭찬하였다.

(7) 「-다는데」 : 「-다 하는데」가 줄어든 말

ㄱ. 그가 떠났다는데 집에 있겠느냐?

ㄴ. 그 곳이 아름답다는데 어디 한번 가 보자.

ㄷ. 그게 사실이었다는데 정말 그렇더냐?

(8) 「-라는데」 : 「-라 하는데」가 줄어든 말.

ㄱ. 이것이 좋은 것이라는데 왜 싫어하느냐?

ㄴ. 이것이 네가 바라던 그 책이라는데 받아 보아라.

ㄷ. 이것이 네 옷이라는데 입어 보아라.

(9) 「-던바」 : 각 어간에 두루붙어 지난사실을 돌이켜 말하면서 뒤에 보충하는 설명이 따름을 나타내는 연결어미.

ㄱ. 모임은 열었던바 큰 성황을 이루었다.

ㄴ. 그들은 시골사람이던바 몹시 온순하였다.

ㄷ. 걱정이 많던바 무사히 일은 끝났다.

(10) 「-ㄹ새」 : 계속되는 설명을 이어 준다.

ㄱ. 그들이 달려갈새 아무것도 보이지 않았다.

ㄴ. 예수를 십자가에 못박고 그 옷을 취할새 네 갓에 나누어 군사가 각각 하나씩 얻고…

(11) 「-러니」 : "-더니"의 예스런 말.

엊그제 소년이러니 어느덧 늙은이가 되었구나.

(12) 「-던데」 : 모든 어간에 두루 붙어 뒤에 더 풀이하는 말이 오도록 지난 사실을 돌이켜 먼저 베풀때 쓰이는 연결어미. 흔히 보충적 대립적으로 이어간다.

ㄱ. 아까 그가 오던데 자리에 안 보이오.

ㄴ. 뜰이 넓던데 꽃나무를 심었습니까?

ㄷ. 좋은 책이던데 한번 읽어 보자.

ㄹ. 돈이 많던데 넉넉히 주었습니까?

(13) 「-더니마는」 : 「-더니」의 힘줌말. ㊜더니만.

ㄱ. 그가 가더니만 소식이 없다.

ㄴ. 비가 오더니마는 풍년이 들었다.

ㄷ. 농사를 짓더니마는 부자가 되었다.

(14) 「-ㄴ다면」 : 「-다 하면」의 준말.

ㄱ. 그는 돈이 있다면 얼마나 있겠냐?

ㄴ. 있다면 있고 간다면 가거라.

ㄷ. 돈이 없다면 그만 두어라.

ㄹ. 눈이 온다면 얼마나 좋을까?

(15) 「-노라니까」 : 「노라」의 힘줌말.

ㄱ. 가만히 보고 있노라니까 마음만 답답하다.

ㄴ. 누워 있노라니까, 아주 편안하다.

(16) 「-노라고」 : 종결어미 "노라"에 인용조사 "고"가 어울리어 "-다고"보다 좀 예스러운 뜻을 나타내는 연결어미

ㄱ. 잘 하노라고 한 일 인데 잘못 했소라고 빌어야지.

ㄴ. 자느라고 비가 오는 줄도 몰랐나.

ㄷ. 먹느라고 그가 온 줄도 몰랐다.

(17) 「-이라며」 : 「-이라고 하며」의 준말.

ㄱ. 잘 안는 사람이라며 소개 하여 주었다.

ㄴ. 여기가 살기좋은 곳이라며 아르켜 주었다.

8. 비교법

(1) 「-거든」 : 견주는 뜻으로 그 다음 사실을 강조할 때 앞의 어절에 쓰이는 연결어미.

ㄱ. 내 아니 잊었거든 넨들 설마 잊을쏘냐.

ㄴ. 선생이 저러하거든 학생이야 말해 무엇하겠느냐?

ㄷ. 네가 그리 하였거든 그를 탓해 무엇하냐?

ㄹ. 네가 이러하거든 남은 말해 무엇하나.

(2) 「-느니」: 동사 어간에 붙어 비교되는 행동을 나타내는 연결어미. 흔히 보조사 「보다」가 잘 붙어 쓰인다.

ㄱ. 앉아서 걱정하느니 나가서 일해 보겠다.

ㄴ. 누워서 먹느니 앉아서 먹는 것이 건강에 좋다.

ㄷ. 말하느니 실행을 하는 게 좋다.

ㄹ. 노느니보다 일하는게 낫다.

9. 선택법

(1) 「-거나」: 둘 중의 하나를 선택함을 나타낸다.

ㄱ. 남이야 잠을 자거나 일을 하거나 당신이 무슨 상관이오.

ㄴ. 하거나 말거나 내버려 두시오.

ㄷ. 희거나 붉은 천을 사 오너라.

(2) 「-(는)다느니」 " "다느니"가 받침 있는 동사 · 형용사 어간에 붙어 현재를 나타내는 연결어미. 「이다/아니다」에는 「-라느니」가 된다.

ㄱ. 콩을 심는다느니 팥을 심는다느니 말이 많다.

ㄴ. 먹는다느니 안 먹는다느니 망설이고 있다.

ㄷ. 얼굴이 희다느니 검다느니 말이 많다.

ㄹ. 명작이라느니 아니라느니 야단이다.

(3) 「-다느니」: 하게 할 자리에 주로 거듭 쓰이어 이런저런 사실을 인용하여 이를 때 쓰이는 연결어미, 동사. "이다" "아니다"의 경우는 때를 나타내는 선어말어미 뒤에 붙으며 "느니"보다는 더 분명한 뜻을 나타낸다.

ㄱ. 간다느니 안다느니 야단이다.

ㄴ. 크다느니 작다느니 말도 많다.

ㄷ. 꿈이였다느니 생시였다느니 분간을 못하고…

ㄹ. 떡을 먹었다느니 술을 마셨다느니 서로 떠든다.

(4) 「-느니」: 동사 어간에 붙어 비교되는 행동을 나타내는 연결어미 "이다"와 "아니다"의 경우는 「-았 /-었 /-겠」 뒤에 붙으며 더 분명하게는 "다느니"가 쓰인다.

ㄱ. 가느니 안 가느니 떠들썩하다.

ㄴ. 꿈이었다느니 생시였다느니 분간을 못하고…

ㄷ. 먹느니 안 먹느니 결정을 못한다.

(5) 「-을까~을까」: 동사 어간에 두루 붙어 자기 의사를 나타내거나 상대방의 의사를 물어 보는 뜻을 나타낸다.

ㄱ. 이 떡을 먹을까 말까 생각중이다.

ㄴ. 갈까 말까 어떻게 할까?

ㄷ. 이 책을 읽을까 말까를 결정하여라.

(6) 「-으나」: 동작이나 상태를 가려 말할 때 쓰인다.

ㄱ. 밥을 먹으나 죽을 먹으나 배부르기는 마찬가지이다.

ㄴ. 젊으나 늙으나 욕심은 있는 법이다.

ㄷ. 가나 안 가나 택일하여라

ㄹ. 떡은 먹으나 술은 먹지 않는다.

(7) 「-든지」 : 어떤 움직임이나 상태 따위를 가림을 나타낸다.

ㄱ. 굶든지 먹든지 마음대로 하여라.

ㄴ. 공부를 하든지 말든지 네 마음대로 하여라.

ㄷ. 가든지 오든지 뜻대로 하여라.

(8) 「-든가」 : 어떤 움직임이나 상태 따위를 가림을 나타낸다.

ㄱ. 하든가 말든가 마음대로 하여라.

ㄴ. 멀든가 가깝든가 상관 없다.

ㄷ. 재미가 있든가 없든가 말하여 다오.

(9) 「(으)라든지」 : 「-으라 하든지」의 준말

ㄱ. 약을 먹으라든지 먹지 말라든지 말하여 주세요.

ㄴ. 여기서 살라든지 살지 말라든지 결정하여 주세요.

(10) 「-느냐」 : 「-느냐 하는」의 준말

ㄱ. 죽느냐 사느냐 갈림길.

ㄴ. 있느냐 가느냐 고심하고 있다.

10. 동시법

(1) 「자」: 동사 어간에 붙어 그 움직임에 잇달아 다른 움직임이 일어남을 나타내는 연결어미.

ㄱ. 까마귀 날자 배 떨어진다.
ㄴ. 해가 떨어지자 바람이 분다.
ㄷ. 날이 밝자 들로 나갔다.
ㄹ. 오늘은 청명이자 한식이다.
ㅁ. 개인의 일이자 나라의 일이다.

"자"가 "이다" "아니다"의 어간에 붙을 때는 어떤 사실이 겸함을 나타낸다.

11. 중단법

(1) 「-다가」: 각 어간에 붙어 어떤 동작이나 상태 따위가 그치고 다른 동작이나 상태를 옮겨감을 나타낸다.

ㄱ. 아까는 비가 오다가 이제는 눈이 온다.
ㄴ. 혹을 떼러 갔다가 도리어 혹을 붙여 왔지요.
ㄷ. 보다가 못해 그만 고개를 돌려 버렸다.
ㄹ. 등잔불이 환하다가 꺼져 버렸다.
ㅁ. 사이가 좋다가 그만 의를 상했다.
ㅂ. 여태까지는 연구생이다가 올봄부터 강사가 되었다. (비슷)- 다②

(2) 「-다」②

ㄱ. 비가 오다 그쳤다.

ㄴ. 일을 하다 그만 두고 가 버렸다.

ㄷ. 날씨가 흐렸다 개였다 한다.

(3) 「-다가는」 : "-다가"의 힘줌말. 어떤 동작이나 상태가 그치고 다른 동작이나 상태로 옮겨짐을 나타낸다.

ㄱ. 가다가 되돌아와서 하는 마이 부산엘 들렀다가 곧장 고향으로 가려 하오.

ㄴ. 등잔불이 환하다가 그만 꺼져 버렸다. ㊣다간

(4) 「-다간」 : 「-다가는」의 준말

ㄱ. 가다간 되돌아와서 하는 말이 고향엘 가다가 곧 되돌아왔소.

ㄴ. 성급히 굴다간 일을 그르친다.

ㄷ. 사이가 좋다간 그만 의를 상했다.

(5) 「-단」 : 「-다간」의 준말

ㄱ. 또 다시 그런 일을 했단 큰일 난다.

ㄴ. 이 떡을 먹었단 야단 맞는다.

ㄷ. 거기 갔단 큰일 난다.

12. 첨가법

(1) 「-고도」 : 「-고」에 보조사 「-도」가 붙어 된 말로 첨가의 뜻을 나타낸다.

ㄱ. 이것을 먹고도 또 저것을 먹는다.
ㄴ. 구경을 하고도 또 하느냐?
ㄷ. 영희는 예쁘고도 착하다.

(2) 「-고서도」 : 「-고서」에 보조사 「-도」가 더하여 첨가(거듭)의 뜻을 나타낸다.

ㄱ. 떡을 먹고서도 또 밥을 먹는다.
ㄴ. 혼이 나고서도 또 잘못을 저지르면 어떻게 하나?
ㄷ. 빚을 지고서도 또 일을 확장하면 어찌 할라고?

(3) 「-는데다(가)」 : 「-는데」에 보조사 「-다(가)가」 덧붙은 연결어미

ㄱ. 홍수가 진데다가 또 폭우가 온다.
ㄴ. 배가 부른데다가 또 떡을 먹느냐?
ㄷ. 비가 오는데다 우산도 없이…
ㄹ. 배가 고픈데다가 또 굶었다.

(4) 「-을뿐더러」 : 받침 있는 어간에 붙어 어떤 사실이 그것만으로 그치지 않고 그밖에 다른 것이 더 있음을 나타내는 연결어미

ㄱ. 비가 왔을뿐더러 바람도 불었다.
ㄴ. 집도 없을뿐더러 돈도 없소.

ㄷ. 그는 부자였을뿐더러 독립운동가였다.

ㄹ. 그는 논을 매었을뿐더러 밭도 매었다.

(5) 「-울뿐(만)아니라」: 용언의 어간에 붙어 어떤 동작이나 상태가 그 것만으로 그치지 않고 다른 것이 더 있음을 나타내는 연결어미

ㄱ. 그는 착할뿐만아니라 공부도 잘 한다.

ㄴ. 그는 일을 잘 할뿐아니라 솜씨도 아주 좋다.

ㄷ. 그는 공부를 잘 할뿐(만)아니라 운동도 아주 잘 한다.

(6) 「-아되/ -어도/ -여도」: 음절이 「ㅏ/ㅓ/ㅗ」인 동사, 형용사 어간에 붙이 쓰이는 연결어미로 첨가의 뜻을 나타낸다.

ㄱ. 보아도 보아도 보고 싶다.

ㄴ. 먹어도 먹어도 또 먹는다.

ㄷ. 가도 가도 끝이 없는 인생길은 몇 길인가 무정천리 바가 오네 유정천리 눈이 오네.

ㄹ. 연구는 하여도 하여도 끝이 없다.

ㅁ. 청춘 이는 듣기만 하여도 가슴이 설레는 말이다.

13. 비례법

(1) 「-ㄹ수록」: 받침 없는 어간에 붙어 그에 따라 어떤 정도가 정비례나 반비례로 되는 조건을 나타내는 연결어미.

ㄱ. 갈수록 태산이다.

ㄴ. 속도가 빠를수록 시간은 덜 걸린다.

ㄷ. 부자일수록 겸손하여야 한다.

ㄹ. 보면 볼수록 경치가 아름답다.

(2) 「-을수록」: 받침 있는 동사나 형용사 어간에 붙어 그에 따라 어떤 정도가 정비례나 반비례로 되는 조건을 나타내는 연결어미

ㄱ. 먹을수록 맛있는 꿀떡.

ㄴ. 높을수록 기온이 낮아진다.

ㄷ. 날씨가 추울수록 정신이 난다.

ㄹ. 늙을수록 정신이 혼혼하다.

ㅁ. 머리가 좋을수록 공부를 잘 한다.

14. 의도법

(1) 「-(으)려더니」: "-려하더니"가 줄어든 말.

ㄱ. 나가려더니 들어오는구나.

ㄴ. 농사를 지으려더니 마침내 농부가 되었구나.

ㄷ. 빚을 갚으려더니 왜 안 갚냐?

ㄹ. 코드를 벗으려더니 다시 입는다.

ㅁ. 학교에 가려더니 왜 가지 않니?

(2) 「-(으)려다가」: 「-려 하다가」가 줄어든 말.

ㄱ. 주려다가 주지 않는다.

ㄴ. 밥을 먹으려다가 죽을 먹는다.

ㄷ. 이것을 그에게 주려다가 다른 사람에게 주었다.

ㄹ. 서울에 가려다가 그만 두었다.

(3) 「-(으)려도」: 「-려 하여도」가 줄어든 말.

ㄱ. 만나려도 그를 만날 수 없다.

ㄴ. 병원에 가려도 돈이 없어 못간다.

ㄷ. 먹으려도 먹을 것이 없다.

ㄹ. 입으려도 입을 옷이 없다.

(4) 「-(으)ㄹ래도」: 사전에서 「-려도」를 보라 하였다.

ㄱ. 갈래도 갈 수 없는 북녘땅.

ㄴ. 갈래도 길이 멀어 못 간다.

ㄷ. 먹을래도 먹을 꺼리가 없다.

(5) 「-(으)려는데」: 「-으려 하는데」의 준말

ㄱ. 막 집을 나서려는데 그가 찾아왔다.

ㄴ. 점심을 먹으려는데 손님이 왔다.

ㄷ. 공부를 하려는데 전깃불이 나갔다.

ㄹ. 꽃을 얻으려는데 주인이 없다.

(6) 「-(으)려는지」: 「-려 하는지」의 준말

ㄱ. 언제 가려는지 알 수가 없다.

ㄴ. 그가 언제 오려는지 모르겠다.

ㄷ. 일을 언제나 끝내려는지 알아 보아야 겠다.

ㄹ. 언제 꽃을 심으련지 물어 보아야 하겠다.

ㅁ. 그는 무슨 일을 하려는지 알 수가 없다.

(7) 「-으려니와」: 받침 있는 각 어간에 붙어 쓰이는 연결어미. 주로 일인칭의 동사에 쓰이어 의도를 나타낸다.

ㄱ. 나는 나무도 심으려니와 꽃도 가꿀 예정이다.

ㄴ. 닭도 잡으려니와 돼지도 잡을 것이다.

ㄷ. 인심도 좋으려니와 경치도 좋은 마을이다.

ㄹ. 그 소문은 사실이었으려니와 모두들 그렇게 믿어 온 것이다.

ㅁ. 나는 공부도 하려니와 영어도 배울 겸 미국으로 유학가겠다.

(8) 「- ㄹ꼬」: 동사 어간에 붙어 자기 의사를 나타내거나 상대방 의사를 물어 보는 뜻을 나타낸다.

ㄱ. 어떤 일을 할꼬 생각중이다.

ㄴ. 여행을 어디로 갈꼬 궁리 중이다.

ㄷ. 여기서 무슨 장사를 할꼬 연구중에 있다.

ㄹ. 오늘 낮에는 무엇을 먹을꼬 걱정이다.

ㅁ. 어떤 공부를 할꼬 궁리 중이다.

(9) 「-려다」: 「-려 하다」의 준말

ㄱ. 가려다 그만 두었다.

ㄴ. 이 돈을 그에게 주려다 말았다.

ㄷ. 장사를 하려다 농사를 지었다.

ㄹ. 서울에 가려다 대구로 가고 말았다.

ㅁ. 이것을 먹으려다 저 것을 먹었다.

(10) 「으려면」 : 「으려 하면」의 준말

ㄱ. 먹으려면 얼마든지 먹어라.

ㄴ. 가려면 어서 가거라.

ㄷ. 여기 있으려면 있거라.

ㄹ. 이리 오려면 어서 오너라.

(11) 「-으려니」 : 「으려 하니」의 준말

ㄱ. 내가 곧 떠나려니 조금만 기다려 주게.

ㄴ. 먹으려니 먹을 거리가 없다.

ㄷ. 여기서 머물려니 지루하다.

(12) 「-려」 : 받침이 없거나 ㄹ받침 동사의 어간에 붙어 그렇게 행동할 뜻을 나타내는 연결어미. 흔히 뒤에 "하다"꼴이 많이 쓰인다.

ㄱ. 글을 쓰려 한다.

ㄴ. 일을 막 시작하려 할 때였다.

ㄷ. 떠나려 생각했더니 이곳이 경치 좋으니 예와 놀려 하노라.

ㄹ. 비가 오려 한다.

ㅁ. 담이 무너지려 한다.

(13) 「-ㄹ려야」 : 「-려야」와 같다.

ㄱ. 가려야 갈 수 없는 곳.

ㄴ. 살려야 살기 힘든 세상.

ㄷ. 먹을려야 먹을 게 없다.

(14) 「ㄹ래야」 : 「-래야」와 같다.

ㄱ. 그 시간에 일어날래야 일어날 수 없었다.

ㄴ. 올래야 올 수 없고 갈래야 갈 수 없다.

ㄷ. 이길래야 이길 수가 없었다.

ㄹ. 다리가 아파 걸을래야 걸을 수가 없었다.

(15) 「-(으)려거든」 : 「-려 하거든」의 준말

ㄱ. 가려거든 가거라.

ㄴ. 공부하려거든 열심히 하여라.

ㄷ. 밥을 먹으려거든 어서 오너라.

ㄹ. 구경 하려거든 얼마든지 하여라.

(16) 「-건대」 : 소망를 나타내는 동사 어간에 붙어 의사를 나타낸다.

ㄱ.바라건대 부디 성공하여라.

ㄴ. 원컨대 꼭 합격하여라.

(17) 「-(으)려기에」 : 「-려 하기에」의 준말

ㄱ. 떠나려기에 여비를 주었다.

ㄴ. 술을 마시려기에 못 마시게 하였다.

ㄷ. 공부하려기에 칭찬을 하였다.

ㄹ. 아이가 꽃을 꺾으려기에 내가 말렸다.

(18) 「-(으)려고」 : 「-려」를 더 뚜렷이 나타내는 말

ㄱ. 여기서 살려고 생각하느냐?

ㄴ. 어디로 가려고 하니?

ㄷ. 밥을 얻어 먹으려고 서로 야단이다.

(19) 「-고자」 :동사 어간에 붙어 그렇게 하고 싶어함(욕망)을 나타내는 연결어미.

ㄱ. 서울에 가고자 하나 노자가 없다.

ㄴ. 새집을 짓고자 한다. (비슷)-자

ㄷ. 백구야… 나도 너와 같이 희고자 맑은 강가에 왔노라.

ㄹ. 나도 너와 같이 예쁘고자 화장을 하였다.

(20) 「-자=고자」

ㄱ. 죽자 하니 청춘이요, 살자 하니 고생이라.

ㄴ. 여기서 살자 하니 공기가 좋지 아니하다.

ㄷ. 그가 같이 살자 하나 그럴 수가 없다.

(21) 「-(으)ㄹ까」 : 동사 어간에 두루 붙어 자기 의사를 나타내거나 상대방 의사를 물어 보는 뜻을 나타낸다.

ㄱ. 장사를 해 볼까 한다.

ㄴ. 여기서 살까 생각 중이다.

ㄷ. 집을 어디에다 지을까 물색 중이다.

ㄹ. 유학을 갈까 생각 중이다.

(22) 「-(으)려서는」: 「-려 하여서는」의 준말

ㄱ. 꾀를 부려서는 아니 된다.

ㄴ. 손으로 잡으려서는 되지 않는다.

ㄷ. 아무것이나 먹으려서는 아니 된다.

ㄹ. 무작정 우기려서는 오해를 살 것이다.

(23) 「-으려서야」: 「-으려 해서야」의 준말

ㄱ. 잊으려서야 잊히지 아니한다.

ㄴ. 억지로 이기려서야 이길 수 없다.

ㄷ. 부모를 안 모시려서야 불효 막심하지.

(24) 「-리니」: 동사 어간에 붙어 의지를 전제로 나타내는 연결어미.

ㄱ. 내 곧 다녀 오리니 좀 기다려 주게.

ㄴ. 이 일을 하리니 그리 알게.

(25) 「-ㄴ다면」: 「다 하면」의 준말

ㄱ. 간다면 가거라.

ㄴ. 먹는다면 먹어라.

ㄷ. 있다면 있거라.

15. 의문법

(1) 「-길래」: 받침 있는 동사에 붙어 어떤 사실에 대한 의아심을 나타

내는 어미.

ㄱ. 산넘어 남촌에는 누가 살길래 해마다 봄바람이 남으로 오네.

ㄴ. 뭐 하길래 그리 늦었나?

ㄷ. 누구를 만나길래 그리 급하나?

(2)「-느냘」:「-느냐할」이 줄어든 말.

ㄱ. 왜 가느냘까 봐 망설였다.

ㄴ. 그것이 무엇이었느냘 것 없이.

(3)「-느냐고」: 「-느냐 하고」가 줄어든 말

ㄱ. 어딜 가느냐고 물었다.

ㄴ. 무엇이였느냐고 물어 보렴.

ㄷ. 거기서 뭘 먹었느냐고 물어 보아라.

ㄹ. 어제는 어디 있었느냐고 물었더니 학교에 있었다 하였다.

ㅁ. 물이 얼마나 깊으냐고 물었다.

(4)「-는지」: 동사 어간이나 형용사와「이다」의 때를 나타내는 선어말 어미에 붙어 의문을 나타내는 연결어미.

ㄱ. 어디로 가는지 물어 보자.

ㄴ. 있는지 없는지 알아 보라.

ㄷ. 누구였는지 모르겠다.

ㄹ. 비가 얼마나 왔는지 모르겠다.

ㅁ. 몇 번이나 큰일을 겪는지 아시오.

(5) 「-은지」: 받침 있는 동사나 형용사 어간에 붙어 의문을 나타내는 연결어미.

ㄱ. 몇 번이나 큰 일을 겪은지 아시오.

ㄴ. 얼마나 넓은지 알 수 없다.

ㄷ. 이 강물이 얼마나 깊은지 아는이가 없다.

ㄹ. 그가 어디로 간지 아무도 모른다.

(6) 「-을지」: 받침 있는 어간에 두루 붙어 의문을 나타내는 연결어미.

ㄱ. 내일 날씨가 어떠할지 모르겠다.

ㄴ. 앞으로 이 일을 누가 할지 걱정이다.

ㄷ. 이번 일이 성공할지 못할지 아무도 모른다.

ㄹ. 그가 올지 갈지 의문이다.

(7) 「-을는지」: 받침 있는 어간에 두루 붙어 의문을 나타내는 연결어미.

ㄱ. 그가 언제 올는지 모르겠다.

ㄴ. 비가 올는지 눈이 올는지 날씨가 흐리다.

ㄷ. 그는 어디로 갈는지 아무도 모른다.

ㄹ. 소가 이 풀을 잘 먹을는지 모르겠다.

(8) 「-던지」: 각 어간에 두루 붙어 지난 일을 도리켜 의문을 나타내는 연결어미.

ㄱ. 얼마나 되었던지 기억이 나지 않는다.

ㄴ. 그때 그 자리에 누구누구가 있었던지 잘 모르겠다.

ㄷ. 그것이 무엇이던지 알 길이 없다.

16. 처지법

(1) 「-는데 있어서」: 동사 어간에 붙어 어떤 처지, 상황 등을 나타낸다.

ㄱ. 그 일을 하는데있어서 우리는 어떻게 하면 좋을까?

ㄴ. 그가 공부하는데있어서 문제가 되는 것은 건강 문제이다.

ㄷ. 집을 짓는데있어서 좌를 잘 보아야 한다.

17. 노력법

(1) 「-으려야」: 「-으려 하여야」가 준말.

ㄱ. 잊으려야 잊을 수 없는 사람.

ㄴ. 먹으려야 먹을 수 없는 음식.

ㄷ. 있으려야 있을 수 없는 집.

ㄹ. 싸우려야 싸울 수 없는 상대.

(2) 「-다 -다」: 동사에 쓰여 노력의 뜻을 나타내는 어미.

ㄱ. 견디다 견디다 견디지 못하여 병원에 갔다.

ㄴ. 참다 참다 못해서 그를 혼내 주었다.

ㄷ. 벼르다 벼르다가 그를 고발하였다.

18. 아쉬움법

(1) 「-다니」 : 동사 형용사 어가에 붙어 의심스러움이나 뜻밖의 사실로 느끼거나 반문하는 뜻을 나타낸다.

ㄱ. 그각 죽었다니 참으로 아깝다.
ㄴ. 거액을 잃었다니 어떻게 하지.
ㄷ. 이런 큰 일을 몰랐다니 참으로 곤란하다.
ㄹ. 어머니를 여위웠다니 안타깝구나.

19. 추정법

(1) 「-거니」 : 어떤 사실을 인정하거나 미루어 헤아리는 뜻으로 쓰인다.

ㄱ. 비가 오겠거니 생각하고 우산을 가져 왔다.
ㄴ. 우리는 이미 그분이겠거니 생각하였다.
ㄷ. 나는 그가 이기겠거니 생각했다.
ㄹ. 그의 병이 낫겠거니 생각했는데 그는 아직도 고생하고 있다.

(2) 「-기로」 : 어떤 사실을 미루어 생각을 나타내는 어미

ㄱ. 그가 이기겠기로 안심하였더니 결과는 지고 말았다.
ㄴ. 비가 오겠기로 집에 있었다.
ㄷ. 일이 잘 되겠기로 와 버렸다.

(3) 「-는댔자」 : 「-는다 했자」의 준말

ㄱ. 그가 온댔자 언제 오겠니?

ㄴ. 먹는댔자 얼마나 먹을려고?

ㄷ. 산댔자 얼마나 살겠니?

(4) 「-려니」 : 어떤 사실을 추측으로 일정하면서 뒤의 사실과 나란히 이어 준다.

ㄱ. 거기에 가면 친구도 만나려니 생각했지요.

ㄴ. 집에 있으려니 하고 찾아갔더니 없었다.

ㄷ. 붉으려니 했던 꽃이 희다.

ㄹ. 그가 도와 주려니 생각하였다.

ㅁ. 가까우려니 했던 길이 꽤 멀다.

(5) 「ㄹ지」 : 추측이나 가능성의 뜻을 나타내는 연결어미. 조사 "가" "는" 따위가 덧붙어 쓰이기도 한다.

ㄱ. 그가 뭐라 할지가 궁금하다.

ㄴ. 오늘 갈지 내일 갈지 아직 미정이다.

ㄷ. 언제 올지는 알 수 없다.

ㄹ. 얼마나 단단할지 의문이다.

ㅁ. 그의 부탁이 무엇일지는 만나봐야 알겠다.

(6) 「-ㄹ지나」 : 받침 없는 어간에 두루 붙어 아마 그리 되겠지 하는 뜻으로 쓰이는 어미.

ㄱ. 꽃은 아름다울지나 향기는 없을 듯하다.

ㄴ. 비가 올지나 얼마나 올지는 알 수 없다.
ㄷ. 맛은 있을지나 어쩐지 좋아 보이지는 않는다.

(7) 「-리니」: 받침 없는 어간에 두루 붙어 추측으로 원인 근거를 내는 연결어미.

ㄱ. 곧 새벽이 오리니 떠날 준비를 하세.
ㄴ. 그 사람 착하리니 믿어도 좋으렷다.
ㄷ. 간절한 부탁이리니 꼭 들어 주도록 하세.

(8) 「-려나」: 받침 없는 동사 어간에 붙어 추측함을 나타내는 연결어미.

ㄱ. 그가 도와 주려나 생각했지요.
ㄴ. 비가 오려나 눈이 오려나 날씨가 흐리다.
ㄷ. 임이 언제 오려나 기다려진다.

(9) 「ㄹ러니」: 추측한 사실을 나타내면서 뒤의 사실과 맞서게 이어 준다.

ㄱ. 오래 못 만날러니 생각하였더니 어찌 또 만났다.
ㄴ. 어제까지도 그 까닭은 모를러니 이제야 알았다.
ㄷ. 보기에 힘이 셀러니 겨루어 보니 별게 아니었다.
ㄹ. 그 사람이러니 알고 보니 다른 사람이었다.

(10) 「-련마는」: 받침 없는 각 어간에 두루붙어 어떤 사실을 추측하면서 다른 사실에 대립시키는 연결어미. "-건마는"과는 달리 때를 나타내는 「-겠-」 뒤에는 붙을 수 없다.

ㄱ. 저 달을 따라가면 임을 보련마는 산수 첩첩 수만 리에 무얼로 따라갈까?

ㄴ. 만나면 반가우련마는 같이 만날 수가 없네.

ㄷ. 그는 좋은 일꾼이련마는 시킬만한 일이 없다.

(11) 「-을러니」 : 추측한 사실을 나타내면서 뒤의 사실과 맞서게 이어 준다

ㄱ. 집에 있을러니 생각했는데 어디로 갔지?

ㄴ. 물이 깊을러니 들어가 보니 한길도 안 되던군.

ㄷ. 눈이 올러니 생각했는데 비가 많이 왔다.

(12) 「-을지니」 : 받침 있는 어간에 두루 붙어 응당 어떠하겠다 하는 추측을 나타내는 어미.

ㄱ. 비에 젖을지니 들여 놓아라.

ㄴ. 집에 없을지니 찾아갈 필요가 없다.

ㄷ. 그것은 거짓말이었을지니 더 물어 볼 필요가 없다.

(13) 「-을지나」 : 받침 있는 어간에 두루 붙어 응당 어찌하겠지 하는 뜻으로 뒤의 대립적인 사실과 이어 주는 어미.

ㄱ. 날씨는 맑을지나 좀 추울 것이다.

ㄴ. 그가 유능한 사람이었을지나 알아 주는 사람이 없었다.

20. 반복법

(1)「-거니 -거니」: 두 가지 이상의 움직임이나 상태 따위를 벌여 놓는 뜻을 나타낸다. 흔히 대립적인 때가 있다.

ㄱ. 가거니 오거니 정도 많다.

ㄴ. 주거니 받거니 한다.

ㄷ. 사실이라거니 아니라거니 옥신각신하였다.

ㄹ. 앞서거니 뒤서거니 하며 갔다.

(2)「-을락 말락」: 주로「을락 말락」꼴로 받침 없는 동사 어간에 붙어 거의 그렇게 도려다가 말고 하는 모양을 나타내는 연결어미.

ㄱ. 들리락 말락 속삭이는 소리.

ㄴ. 두 평이 될락 말락 한 좁은 방.

ㄷ. 겨우 보일락 말락 하다가 안 보인다.

ㄹ. 일이 잘 될락 말락 하고 있다.

(3)「-을락」: 주로「을락 말락」꼴로 받침 있는 동사 어간에 붙어 거의 그렇게 되려다가 말고 하는 모양을 나타내는 연결어미.

ㄱ. 옷이 겨우 젖을락 말락 내리는 가랑비.

ㄴ. 길이 녹을락 말락 퍽 미끄럽다.

ㄷ. 나이 스물이 넘을락 말락 한 처녀.

(4)「-을락 -을락」

ㄱ. 그는 들락 날락 하며 야단이다.

ㄴ. 얼굴빛 붉으락 푸르락 한다.

21. 병행법

(1) 「-거니와」: 어떤 사실을 인정하면서 더 나아가 다른 사실이 있음을 나타낸다.

ㄱ. 그는 운동도 잘 하거니와 공부도 잘한다.
ㄴ. 얼굴도 예쁘거니와 마음씨도 착하다.

22. 거듭법

(1) 「-고」: 동사와 형용사 어간에 「-고 ㄴ(은)」 형태로 같은 말을 거듭하여 그 행동이나 상태 따위를 강조함을 나타낸다.

ㄱ. 바라고 바란 일.
ㄴ. 쌓이고 쌓인 그리움.
ㄷ. 믿고 믿은 사람.
ㄹ. 길고 긴 세월.
ㅁ. 넓고 넓은 바닷가에 오막살이 집 한 채.
ㅂ. 멀고 먼 나라.

(2) 「-랴 -랴」: 「이다」의 어간에 붙어 「-랴 -랴」꼴로 거듭 쓰이어 이 일 저 일을 두루 하고자 하는 뜻을 나타낸다.

ㄱ. 일하랴 공부하랴 매우 바쁘다.

ㄴ. 학생들은 선생님의 설명을 들으랴, 필기 등를 하랴 정신이 없다.

ㄷ. 돈을 벌으랴 살림을 도우랴 너무 벅차다.

(3) 「-으려니와」: 어떤 이를 추측으로 인정하면서 뒤의 사실과 나란히 이어 준다.

ㄱ. 거기에 가면 친구도 만나려니와 환영도 받을 것이다.

ㄴ. 그는 낮일도 하려니와 밤일도 한다.

ㄷ. 철이는 야구도 잘 하려니와 농구도 잘 한다.

ㄹ. 거기에 가면 밥도 먹으려니와 냉면도 먹을 수 있다.

(4) 「-고(서)도」: 「-고(서)」에 보조사 「-도」가 더하여 거듭의 뜻을 나타낸다.

ㄱ. 밥을 먹고(서) 또 빵을 먹는다.

ㄴ. 욕을 먹고도 또 욕 먹을 짓을 한다.

ㄷ. 그에게 속고서도 또 그를 믿는다.

ㄹ. 밭을 매고서도 또 논을 맨다.

ㅁ. 그는 많은 돈을 잃고서도 또 노름을 한다.

(5) 「-ㅂ네」: 주로 받침 없는 동사나 「이다」, 「아니다」의 어간에 붙어 쓰이는 연결어미의 하나로 어떤 행동이나 사실들을 거듭함을 나타낸다.

ㄱ. 무슨 팔자 소관으로 빨래를 해줍네 머리를 빗겨줍네 그 여인도

한시도 편할 날이 없다.

ㄴ. 그는 금입네 옥입네 온갖 보물을 다 가지고 있다.

23. 진행법

(1) 「면서」: 「－ㄹ」 외의 받침 없는 어간에 붙어 어떤 움직임이나 상태가 현재 진행 또는 지속되고 있음을 나타낸다.

ㄱ. 그는 노래하면서 춤을 춘다.

ㄴ. 밥을 먹으면서 책을 읽는다.

ㄷ. 그는 집에 있으면서 없다고 한다.

ㄹ. 울면서 겨자를 먹는다.

ㅁ. 푸르면서 검은 물빛.

(2) 「－면서도」: 「면서」에 보조사 「－도」가 더한 꼴, 「－면서도」는 「－면서」에 「－도」를 첨가하여 어떤 행동을 한다는 뜻을 나타낸다.

ㄱ. 그는 돈을 벌면서도 욕심을 낸다.

ㄴ. 그는 떡을 먹고 있으면서도 피자를 먹겠단다.

ㄷ. 그는 길을 가면서도 책을 읽는다.

ㄹ. 돈이 많이 있으면서도 욕심을 낸다.

「－면서」와 「－면서도」는 나열법으로 설명되고 있으나 글쓴이가 보이게는 동작의 진행 또는 상태의 지속을 나타내는 것으로 보고 진행법으로 다루었다.

(3) 「-며」 : 「ㄹ」밖의 받침 없는 어간에 붙어 어떤 움직임이나 상태 따위를 다른 것과 겸하여 이어 준다.

ㄱ. 그는 놀며 공부하지 않는다.

ㄴ. 백두산 높이 솟아 있으며 장엄하다.

ㄷ. 책을 읽으며 TV를 본다.

24. 강조법

(1) 「-고」 : 각 어간에 「-고 말고」로 붙어 쓰이어 물론 그렇게 한다는 뜻으로 긍정 또는 강조함을 나타낸다.

ㄱ. 싫고 말고.

ㄴ. 착한 사라이고 말고.

ㄷ. 가고 말고.

ㄹ. 넓고 넓은 바닷가에 오막살이 집한 채

ㅁ. 아깝고 말고.

ㅂ. 쌓이고 쌓인 그리움.

(2) 「-디」 : 어떤 형용사의 뜻을 강조하여 나타내려고 같은 어간을 거듭하여 쓸 때 앞 어간에 붙이는 연결어미.

ㄱ. 차디 찬 겨울날에 그는 떠났다.

ㄴ. 좁디 좁은 집에 어떻게 사나.

ㄷ. 쓰디 쓴 약.

ㄹ. 길디 긴 겨울이 지나고

(3) 「-으나」: 상태를 강조하기 위하여 형용사에 「-으나 -은」 꼴로 겹쳐 쓰인다.

ㄱ. 높으나 높은 나무에 올려 놓고 흔들기는 왜 하느냐?

ㄴ. 깊으나 깊은 물에 빠졌으니 어찌하랴.

ㄷ. 더우나 더운 날에 밭을 맨다.

ㄹ. 머나 먼 남쪽 하늘 아래 그리운 고향.

(4) 「-ㄴ즉」: 사실을 확인 또는 강조하는 뜻을 나타낸다.

ㄱ. 말을 듣고 본즉 그럴 듯하오.

ㄴ. 하늘이 높푸른즉 가을이로구나.

ㄷ. 그도 사람인즉 부모의 은혜를 모르랴.

ㄹ. 가본즉 참으로 굉장하더라.

(5) 「-ㄴ즉슨」: 「-ㄴ즉」의 힘줌말.

ㄱ. 글씬즉슨 명필이요 말인즉슨 운변이라.

ㄴ. 가본즉슨 사실 이더라.

ㄷ. 노랜즉슨 명창이라.

25. 겸손법

(1) 「-ㄴ다 마는」: 문장 접속조사 「마는」이 받침 없는 동사의 현재 서술형에 붙은 것.

ㄱ. 가기는 간다마는 이 일을 어떻게 하랴.

ㄴ. 적다마는 받아 가거라.

ㄷ. 맛은 없다마는 많이 드세요.

(2) 「-ㄴ다만」 : 「-ㄴ다마는」의 준말.

ㄱ. 많이는 못 준다만 조금은 주겠다.

ㄴ. 나도 잘 안다만 그는 착하다.

ㄷ. 보잘 것 없다만 가져 가거라.

(3) 「-라야」 : 「이다」, 「아니다」의 어간에 붙어 대수롭지 않게 여기며 양보적인 뜻을 나타낸다.

ㄱ. 내가 가진 돈이라야 이것뿐이다.

ㄴ. 밥이라야 보리밥이다.

ㄷ. 얼굴이라야 보잘 것 없다.

(4) 「-으나마」 : 받침 있는 어간에 붙어 쓰이는 연결어미로 아쉬움이나 접어 주는 조건의 뜻을 나타낸다.

ㄱ. 맛은 없으나마 많이 드세요.

ㄴ. 적으나마 받아 가세요.

ㄷ. 보잘 것 없으나마 가져 가세요.

(5) 「-으나따나」 : 앞 절의 내용을 누르면서 뒷절의 내용은 높여 말하는 법.

ㄱ. 맛은 없으나따나 많이 드세요.

ㄴ. 돈이 적으나따나 받아 가거라.

ㄷ. 인물은 볼것이 없으나따나 잘 살펴 주게.

(6) 「-나마」: 「-으나마」와 용법은 같으나 조성모음 「-으」가 있고 없음에 다소의 차이가 없으므로 여기 덧붙여 설명한다.

ㄱ. 맛은 좋지 못하나마 많이 드세요.
ㄴ. 나는 가나마 너는 있거라.
ㄷ. 나는 불효(이)나마 너는 효자가 되어라.

26. 목적법

(1) 「-으러」: 받침 있는 동사 어간에 붙어서 행동의 목적을 나타내는 연결어미. 주로 그 뒤에 「가다」, 「오다」, 「떠나다」 등의 동사가 쓰인다.

ㄱ. 뽕 따러 가세 뽕 따러 가세.
ㄴ. 그를 만나러 갔다.
ㄷ. 공부하러 미국에 갔다.
ㄹ. 고기를 잡으러 바다로 갈까나.

27. 명령법

(1) 「-라고」: 명령의 어미 「-라」에 인용격조사 「고」가 더해진 말. 해라체에서 받침 없는 동사 어간에 붙어 간접 인용구에 쓰인다.

ㄱ. 곧 가라고 하였다.

ㄴ. 부지런히 하라고 일러라.

ㄷ. 열심히 하라고 격려하였다.

ㄹ. 논문을 많이 쓰라고 하였다.

(2) 「-라나」: 「-라 하나」가 줄어든 말.

ㄱ. 오라나 나는 안 가겠다.

ㄴ. 여기 있으라나 나는 있지 안겠다.

ㄷ. 먹으라나 먹을 게 있어야 먹지.

(3) 「-라니」: 「-라 하니」가 줄어든 말.

ㄱ. 가라니 갈 수밖에 없지.

ㄴ. 이 약을 먹으라니 먹어야지.

ㄷ. 여기를 청소하라니 하여야지.

ㄹ. 조용히 하라니 조용해야지.

(4) 「-라느니」: 받침 없는 동사 어간에 주로 거듭하여 쓰이어 이렇게 하게 하기도 하고 저렇게 하기도 함을 나타내는 연결어미.

ㄱ. 오라느니 가라느니 귀찮게 한다.

ㄴ. 이것을 먹의라느니 저것을 먹으느니 하니까 정신을 차릴 수 없다.

ㄷ. 여기에 있으라느니 저기에 있으라느니 정신을 못 차리게 한다.

ㄹ. 이 일을 하라느니 저 일을 하라느니 하니 어느 일을 하여야 하나?

(5) 「-라는데」 : 「-라 하는데」의 준말.

ㄱ. 오라는데 못 가겠다.

ㄴ. 이것을 먹으라는데 못 먹겠다.

ㄷ. 빨리 가라는데, 빨리 갈 수가 없다.

ㄹ. 이 옷을 입으라는데, 몸에 맞지 아니한다.

(6) 「-라니까」 : 「-라 하니까」의 줄어 든 말.

ㄱ. 오라니까 가야지요.

ㄴ. 있으라니까 있어야지요.

ㄷ. 먹으라니까 먹을 수 밖에.

(7) 「-라며」 : 「-라면서」의 줄어든 말.

ㄱ. 날 오라며 하는 말이 그를 찾아 가라 하였다.

ㄴ. 잘 아는 사람이라며 소개장을 써 주었다.

ㄷ. 먹으라며 피자를 주었다.

ㄹ. 잊으라며 다른 이야기를 하였다.

(8) 「-라면」 : 「-라 하면」의 준말.

ㄱ. 가라면 가야지요.

ㄴ. 이곳에서 살라면 살아야지요.

ㄷ. 올라면 오라 하여야지요.

ㄹ. 자라면 자야지요.

(9) 「-라 면서」 : 「-라 하면서」의 준말.

ㄱ. 날 오라면서 하는 말이 이것을 가져 가라 하였다.

ㄴ. 조용히 하라면서 야단을 쳤다.

ㄷ. 공부하라면서 불을 켜 주었다.

(10) 「-자면서」 : 「-자 하면서」의 준말

ㄱ. 같이 가자면서 차를 가지고 왔다.

ㄴ. 먹자면서 나에게 권하였다.

ㄷ. 같이 풀을 매자면서 호미를 가져 왔다.

ㄹ. 등산을 같이 하자면서 데리러 왔다.

(11) 「-래서」 : 「-라 해서」가 줄어든 말.

ㄱ. 그가 오래서 간다.

ㄴ. 이것을 먹으래서 먹는다.

ㄷ. 이 책을 읽으래서 읽는다.

ㄹ. 책을 사 오래서 사 왔다.

(12) 「-래서야」 : 「-라 해서야」가 준말.

ㄱ. 오자 마자 가래서야 되겠습니까?

ㄴ. 여기에서 조용히 하래서야 말이 안 된다.

ㄷ. 이것을 먹으래서야 누가 먹겠나

ㄹ. 너를 믿으래서야 믿을 사람은 아무도 없다.

(13) 「-(으)라고」 : 명령형 어미 「-라」에 인용격 조사 「-고」가 더해진 말. "해라체"에서 받침 없는 동사 어간에 붙어 간접 인용구에 쓰인다.

ㄱ. 곧 가라고 하였다.

ㄴ. 부지런히 하라고 일러라.

ㄷ. 말씀을 들으라고 하였다.

ㄹ. 빨리 오라고 하였다.

ㅁ. 선물은 받으라고 하였다.

(14) 「-라」 : 받침 없는 동사 어간에 붙어 해라 할 자리에 명령을 나타낸다.

ㄱ. 가라 하니 빨리 갔다.

ㄴ. 오라 하니 와야지요.

ㄷ. 먹으라 야단이다.

(15) 「-라나」 : 「-라 하나」의 준말

ㄱ. 오라나 나는 안 가겠다.

ㄴ. 자기를 믿으라나 어디 믿을 데가 있어야지.

ㄷ. 조용히 하라나, 주위가 워낙 시끄러워 조용히 할 수가 없다.

(16) 「-(으)라느니」 : 받침 없는 동사 어간에 주로 거듭 쓰이어 이렇게 하라 하기도 하고 저렇게 하라 하기도 함을 나타내는 연결어미.

ㄱ. 오라느니 가라느니 귀찮게 한다.

ㄴ. 옷을 벗으라느니 입으라느니 정신을 차릴 수 없다.

ㄷ. 서라느니 앉으라느니 분별이 없다.

ㄹ. 이 약을 먹으라느니 먹지 말라느니 야단이다.

(17) 「-라는데」: 「-라 하는데」의 준말.

ㄱ. 더 먹으라는데 못 먹겠다.

ㄴ. 여기 있으라는데 나는 못 있겠다.

ㄷ. 술을 억지로 마시라는데 나는 마실 줄 모른다.

ㄹ. 지난 일일랑 깨끗이 잊으라는데 나는 도저히 잊을 수가 없다.

(18) 「-라니」: 「-라 하니」가 준말

ㄱ. 가라니 가야지.

ㄴ. 먹으라니 먹어 보아야지.

ㄷ. 읽으라니 읽어야지.

ㄹ. 이것을 가지라니 가져야지.

(19) 「-으래야」: 「-으라 해야」의 준말.

ㄱ. 읽으래야 읽어야지.

ㄴ. 가래야 가야지.

ㄷ. 오래야 와야지.

28. 시간법

(1) 「-ㄹ새」: 받침 없는 어간에 붙어 「~를 때」의 뜻을 나타낸다.

ㄱ. 그곳에서 떠날새 용렬한 글 한수를 군자에게 드리고 노파에게

부탁하고…

ㄴ. 밤길을 걸을새 달빛이 대낮같이 밝고…

29. 도급법

(1) 「-도록」: 동사 형용사의 어간에 붙어 어떤 동작이나 상태가 어디에 이르기까지의 뜻을 나타내는 연결어미.

ㄱ. 밤 한 시가 되도록 공부하였다.

ㄴ. 그는 죽도록 노력하여 부자가 되었다.

ㄷ. 백두산이 닳도록 하느님이 보우하사.

ㄹ. 목이 타도록 부르짖었다.

ㅁ. 하늘에 닿도록 외쳤다.

30. 겸양법

(1) 「-옵」: 받침 없는 어간에 붙어 화자의 겸손함을 나타내는 선어말어미.

ㄱ. 저는 이제 가옵고 아이는 여기에 있을 겁니다.

ㄴ. 편지 보옵시고 기뻐하셨다.

ㄷ. 아버지를 모시옵고 잘 있나이다.

(2) 「오」: 「-옵」의 변이형태

ㄱ. 이제 가오니 안녕히 계십시오.

ㄴ. 이제 가오면 한참은 못 오나이다.

ㄷ. 하서 보오니 안심이 되나이다.

(3) 「-와」: 말할이 겸손함을 나타내는 선어말어미 「-오」에 어미 「-아」가 합친 말.

ㄱ. 감사하와 이 글월 올리나이다.

ㄴ. 잘 모르와 아르켜 주옵소서.

ㄷ. 저희는 공부하와 잘 지내옵니다.

(4) 「-사와」: 선어말어미 「사오」에 어미 「아」가 합친 말.

ㄱ. 그 약을 먹사와 몸이 좋아졌나이다.

ㄴ. 보내 주오신 옷을 입사와 몸이 따뜻하옵니다.

ㄷ. 저희는 잘 있사와 안심하옵소서.

(5) 「-사옵」: 「삽」과 「사오」가 뒤섞여 된 말.

ㄱ. 저희도 잘 있사옵고 모두 잘 있사오니 안심하옵소서.

ㄴ. 글월 받사옵고 눈물이 절로 나옵니다.

ㄷ. 선물 잘 받사옵고 가쁘기 한이 없사옵니다.

(6) 「-사오」: 「삽」의 변이형태

ㄱ. 보내 주신 반찬을 먹사오니 맛이 있나이다.

ㄴ. 여기 있사오면 몸이 좋아지겠소이다.

ㄷ. 공기가 좋사오며 곧 회복되실 것입니다.

(7) 「-옵시」 : 존대를 나타내는 선어말어미. 「옵」이나 「시」의 높임말

ㄱ. 이제 가옵시면 언제 또 오시나이가.

ㄴ. 우리에게 양식을 주옵시고 또 은혜를 베푸시니 감사하고 감사하나이다.

31. 정도법

(1) 「-리 만큼」 : 「-리이 만큼」에서 나온 말로 받침 없는 어간에 붙어 「-ㄹ 정도로」의 뜻을 나타낸다.

ㄱ. 싫증이 나리만큼 잔소리를 들었다.

ㄴ. 귀에 콩이 익으리만큼 말을 들었다.

ㄷ. 잘 먹으리만큼 몸이 든든하다.

ㄹ. 먹으리만큼만 가져 오너라.

ㅁ. 날이 좋으니만큼 농사도 잘 되겠다.

위의 예에서 보는 바와 같이 「-리만큼」은 「으리 만큼만」, 「-으니 만큼」 등으로도 쓰이는 경우가 많음에 유의하여야 한다.

32. 망설임법

(1) 「-ㄹ까말까」 : 받침 없는 동사 어간에 붙어 쓰이어 그 행동을 할까 말까 망설임을 나타낸다.

ㄱ. 일이 잘 될까 말까 걱정이다.
ㄴ. 그는 여기 있을까 말까 잘 모르겠다.
ㄷ. 갈까 말까 망설이고 있다.
ㄹ. 여기서 살까 말까 망설이고 있다.
ㅁ. 비가 올까 말까 한다.

33. 조건법

(1) 「-거든/-건」: 가정 또는 조건 삼아 말할 때 쓰이는 연결어미 ㉾건.

ㄱ. 비가 개건 떠납시다.
ㄴ. 이것 좋건 가져라.
ㄷ. 날이 개이거든 떠나시오.
ㄹ. 그 모자가 크거든 다른 것으로 바꾸시오.
ㅁ. 믿지 못할 사람이건 가까이 하지 말라.

(2) 「-고」: 각 어간에 널리 붙어 쓰이는 연결어미로 근거나 조건을 나타낸다.

ㄱ. 날씨가 이렇게 무덥고 비가 안 올라고.
ㄴ. 그의 말을 듣고 화를 내었다.
ㄷ. 풋과일을 먹고 배탈이 났다.
ㄹ. 그 경기를 이기고 상을 탔다.

(3) 「-(으)면」: ㄹ 외의 받침 없는 어간에 붙어 어떤 조건을 나타내는 연결어미로 불확실한 사실에 대한 가정적 조건을 나타낸다.

ㄱ. 바가 오면 논을 갈텐데.

ㄴ. 이 옷이 크면 언니가 입도록 해야지.

ㄷ. 열 사람이면 해 낼 수 있다.

ㄹ. 봄이 오면 꽃이 핀다.

ㅁ. 부지런하면 성공하는 법이다.

ㅂ. 그가 맡아 하면 좋겠다.

ㅅ. 눈만 뜨면 책을 읽는다.

(4) 「-건대」: 동사 어간에 붙어 말하는 이가 하려는 말 앞에 조건적인 행동이나 태도를 밝힘을 나타낸다.

ㄱ. 듣건대 그가 곧 돌아온다더라.

ㄴ. 비유하건대 너는 너의 아버지를 닮았다.

ㄷ. 간절히 바라건대 건강하여라.

(5) 「-다며」: 「-다 하면」이 줄어 든 말.

ㄱ. 그를 만났다며 하는 이야기가 별로 좋지 않다.

ㄴ. 작다며 입지 않는 옷.

(6) 「- 다면」: 「-다 하면」이 줄어 든 말.

ㄱ. 간다면 좋겠다.

ㄴ. 돈이 있다면 그것을 살텐데.

ㄷ. 힘이 세다면 그를 이길텐데.

ㄹ. 그 사람이었다면 이겼을 것이다.

(7) 「-다면서」 : 「-다 하면서」의 준말

ㄱ. 작다면서 입지 않는 옷.

ㄴ. 덥다면서 옷을 벗는다.

ㄷ. 춥다면서 오바를 입었다.

ㄹ. 밉다면서 가까이 하지 않는다.

(8) 「-라야」 : 「이다」, 「아니다」의 어간에 붙는 연결어미로 뚜렷한 조건 관계를 나타낸다.

ㄱ. 네가 착한 사람이라야 남의 사랑을 받을 수 있다.

ㄴ. 비싼 것이 아니라야 한다.

ㄷ. 너라야 그 일을 할 수 있다.

ㄹ. 그것이라야 쓸모가 있다.

(9) 「-라야만」 : 「-라야」에 보조사 「만」이 덧붙은 「-라야」의 힘줌말

ㄱ. 자네라야만 그 일을 해 낼 수 있겠다.

ㄴ. 새것이라야만 좋다는 생각을 버려라.

ㄷ. 반드시 단오절이라야만 그네의 맛이 나는 것은 아니다.

(10) 「-라야지」 : 「라야 하지」의 준말.

ㄱ. 새것이라야지 사겠다.

ㄴ. 좋은 옷이라야지 사서 입겠다.

ㄷ. 좋은 학교라야지 가겠다.

ㄹ. 떡이라야지 좋아서 먹겠다.

(11) 「-ㄹ진대」: 받침 어간에 두루 붙어 「그렇게 한다면」, 「그리하다면」 따위의 뜻으로 다음 사실의 조건이나 근거를 나타내는 연결어미. 정중한 표현에 쓰인다.

ㄱ. 부지런히 일할진대 어려울 것이 뭐가 있는가?

ㄴ. 내가 넉넉할진대 그렇게 아끼랴.

ㄷ. 떡일진대 찰떡이 좋다.

ㄹ. 네가 여기 있을진대 집안이 조용할 것이다.

(12) 「-ㄹ진대는」: 「-ㄹ진대」의 힘줌말. ㊛「-ㄹ진댄」

ㄱ. 그가 똑똑할진대는 누가 채용하지 않겠나.

ㄴ. 똑똑할진대는 사위로 삼겠다.

ㄷ. 그가 착할진댄 누가 말다 하겠소.

ㄹ. 여기 있을진대는 잘 도와 주겠지.

ㅁ. 이것을 좋아할진댄 너에게 주겠다.

(13) 「-되」: 모든 어간에 두루 붙는 연결어미의 하나로 어떤 사실을 베풀면서 그와 관련된 조건적인 내용을 덧붙일 때에 쓰인다.

ㄱ. 바람이 불되 몹시 분다.

ㄴ. 키가 크되 여간 큰 키가 아니다.

ㄷ. 이것을 너에게 주되 그냥 주는 것이 아니다.

ㄹ. 꽃은 꽃이되 붉은 꽃이라야 한다.

(14) 「-으되」 : 「ㅆ」이나 「ㅄ」으로 끝나는 어간에 붙는 연결어미로 어떤 사실을 베풀면서 그와 관련된 조건적인 내용을 덧붙일 때에 쓰인다.

ㄱ. 밥은 먹었으되 조금 먹었을 뿐이다.
ㄴ. 돈은 있으되 얼마 되지 않는다.
ㄷ. 그는 학자였으되 보통 학자가 아니었다.
ㄹ. 돈은 없으되 흰소리는 잘 하지 않는다.
ㅁ. 이름은 선생이었으되 아는 것이 별로 없었다.

(15) 「-을라치면」 : 받침 있는 동사 어간에 붙어 경험한 사실로 미루어 어떤 조건을 나타낼 때 쓰이는 연결형어미.

ㄱ. 얼음을 먹을라치면 속이시원하고 땀도 굳소.
ㄴ. 비가 올라치면 두꺼비가 기어다닌다.
ㄷ. 네가 공부를 잘 할라치면 이 가방을 사 주겠다.

(16) 「-ㄹ진대」 : 받침 있는 각 어간에 두루 붙어 「그렇게 한다면」, 「그러하다면」 따위의 뜻으로 다음 사실의 조건이나 근거를 나타내는 연결어미.

ㄱ. 네가 먹을진대 뭐라 하겠느냐?
ㄴ. 값이 같을진대 큰 것을 주시오.
ㄷ. 비가 올진대 모를 심겠다.
ㄹ. 일등을 할진대 상금을 주겠다.

(17) 「-을진대는」: 「-을진대」의 힘줌말 ㊟ -을진대

ㄱ. 네가 잘 할진대는 칭찬이 자자할 것이다.

ㄴ. 네가 이길진대는 상금으로 황소를 주겠다.

ㄷ. 네가 올진대는 모두가 환영할 것이다.

ㄹ. 네가 갈진대 환영 받을 것이다.

ㅁ. 옷이 작을진대 바꾸어 주겠다.

(18) 「-아야」: 끝 음절의 모음이 「ㅏ」, 「ㅑ」, 「ㅗ」인 동사와 형용사 어간에 붙어 쓰이는 연결형어미의 하나로 뚜렷한 조건 관계를 나타낸다.

ㄱ. 내 눈으로 보아야 믿겠다.

ㄴ. 윗물이 맑아야 아랫물이 맑지.

ㄷ. 돈을 주어야 물건을 주지.

ㄹ. 열심히 하여야 성공한다.

(19) 「-아야만」: 「-아야」에 보조사 「만」이 덧붙은 「아야」의 힘줌말

ㄱ. 가야만 안심할 수 있다.

ㄴ. 노력하여야만 성공한다.

ㄷ. 약을 먹어야만 병을 고칠 수 있다.

ㄹ. 예뻐야만 사랑을 받지.

ㅁ. 합격하여만 성공한다.

34. 강조법

(1) 「-고야」 : 「고」에 보조사 「야」가 덧붙어 그 뜻을 힘주어 나타내는 말.

ㄱ. 이기고야 말겠다.

ㄴ. 정성이 있고야 안 될 일이 있나.

ㄷ. 이 일을 끝내고야 말겠다.

ㄹ. 전쟁을 이기고야 큰소리 친다.

(2) 「-고서」 : 「고」에 보조사 「서」가 붙어 그 뜻을 힘주어 나타내는 말.

ㄱ. 누구를 믿고서 여기를 왔소?

ㄴ. 지팡이를 짚고서 왔다갔다 한다.

ㄷ. 그를 이기고서 큰소리 쳤다.

ㄹ. 일등을 하고서 환영을 받았다.

(3) 「-고서야」 : 「고서」에 보조사 「야」가 덧붙어서 된 말.

ㄱ. 나는 그를 이기고서야 말겠다.

ㄴ. 약을 먹고서야 건강해졌다.

ㄷ. 합격하고서야 대우를 받지.

ㄹ. 기어히 가고서야 말았다.

ㅁ. 잊고서야 안심을 하였다.

35. 권유법

(1) 「-자느니」 : 동사 어간에 주로 거듭 쓰이어 이런 저런 행동을 함께 하자는 내용을 나타내는 연결어미.

ㄱ. 그만 가자느니 더 기다리자느니 의견이 엇갈렸다.
ㄴ. 여기에 있자느니 저기에 있자느니 말도 많다.
ㄷ. 술을 마사자느니 마시지 말자느니 옥신각신하였다.

(2) 「-자는데」 : 「~자」에 「-는데」가 합하여 된 연결어미

ㄱ. 서울로 가자는데 어떻게 할까?
ㄴ. 여기서 살자는데 거절하였다.
ㄷ. 부산에 있자는데 같이 살았다.
ㄹ. 공부를 하자는데 그는 밖으로 나갔다.

(3) 「-자니/-자니까」 : 「-자 하니」, 「-자 하니까」의 줄어든 말

ㄱ. 한 잔 하지니 거절할 수 없었다.
ㄴ. 나는 냉면을 먹자니까 그는 국수를 먹겠다 하였다.
ㄷ. 여기서 같이 살자니 살아야 했다.
ㄹ. 뱃놀이를 하자니까 좋아하였다.
ㅁ. 산보를 같이 하자니(까) 그는 좋아하지 않았다.
ㅂ. 노래하자니까 그는 좋아하였다.

(4) 「-자면」 : 「-자 하면」이 줄어든 말.

ㄱ. 그가 함께 가자면 가거라.

ㄴ. 공부하자면 같이 하여라.

ㄷ. 자자면 자야지.

ㄹ. 놀자면 놀아야지.

ㅁ. 모를 같이 심자면 심어야지.

(5) 「-자면서」 : 「-자 하면서」의 준말

ㄱ. 서울에 가자면서 나에게 말하였다.

ㄴ. 한 잔 하자면서 그는 술을 사왔다.

ㄷ. 수영을 같이 하자면서 나에게 말하였다.

ㄹ. 여행을 같이 하자면서 말하였다.

(6) 「-자는」 : 「-자하는」이 줄어든 말.

ㄱ. 어떻게 하자는 말인가?

ㄴ. 무엇을 먹자는 말인가.

ㄷ. 어디로 가자는 말인가.

36. 수단방법법

(1) 「-아」 : 끝 음절의 모음이 「ㅏ, ㅑ, ㅗ」인 동사, 형용사 어간에 붙어 쓰이는 연결형어미로 앞의 동사 어간에 붙어 뒤에 오는 움직임의 앞선 움직임이나 방법 따위를 나타낸다. 더 분명하게는 「아서」가 쓰인다.

ㄱ. 날아 가다.

ㄴ. 안아 일으키다.

ㄷ. 돌아 오다.

ㄹ. 잡아 먹다.

ㅁ. 그를 찾아 길을 떠났다.

ㅂ. 총을 놓아 꿩을 잡았다.

(2) 「-아서」 : 연결어미 「아」에 보조사 「어」가 붙어 그 뜻을 더 분명하게 나타내는 말.

ㄱ. 덫을 놓아서 꿩을 잡았다.

ㄴ. 서울까지 걸어서 갔다.

ㄷ. 빗물을 받아서 먹는다.

ㄹ. 콩을 볶아서 먹는다.

(3) 「다가」 : 각 어간에 두루 붙어 쓰이는 연결어미로 동사 어간에 붙어 수단 방법의 뜻을 나타낸다.

ㄱ. 물을 떠다가 준다.

ㄴ. 약을 구해다가 먹었다.

ㄷ. 차를 태워다가 주었다.

ㄹ. 쓰레기를 담아다가 버렸다.

(4) 「-고」 : 동사 어간에 붙어 뒤의 행동에 대한 수단이나 방법 따위를 나타낸다.

ㄱ. 기차를 타고 간다.

ㄴ. 손을 잡고 가거라.

ㄷ. 아기를 업고 왔다.
ㄹ. 태국기를 들고 행진을 한다.

(5) 「-고서」 : 어미 「고」에 보조사 「서」가 붙어 그 뜻을 힘주어 나타내는 말.

ㄱ. 비행기를 타고서 왔다.
ㄴ. 지팡이를 짚고서 왔소.
ㄷ. 아기를 업고서 일을 한다.
ㄹ. 문을 열고서 보아라.

(6) 「-여」 : 연결어미 "아/어"의 뜻으로 어간 "하"에 붙어 쓰이는 어미.

ㄱ. 공부하여 훌륭한 사람이 되었다.
ㄴ. 일하여 도왔다.
ㄷ. 열심히 노력하여 부자가 되었다.

37. 원인근거법

(1) 「-라」 : 「이다」, 「아니다」의 어간에 붙어 원인 근거 따위를 나타내는 연결어미. 더 분명하게는 「-라서」가 쓰인다.

ㄱ. 그래도 대장부라 눈물만은 짓지 아니하였다.
ㄴ. 먼 곳이라 차를 타고 가야 합니다.
ㄷ. 말하던 대로가 아니라 돌아와 버렸다.

ㄹ. 고래는 어류가 아니라 포유류이다.

(2) 「-라서」 : 원인 근거 따위를 나타내는 연결어미 「-라」에 보조사 「-서」가 붙은 「-라」의 힘줌말

ㄱ. 낡은 것이라서 싫다.
ㄴ. 그가 아니라서 말을 건네지 않았다.
ㄷ. 봄이라서 꽃이 피었다.

(3) 「-라야만」 : 「라야」에 보조사 「만」이 덧붙은 「-라야」의 힘줌말

ㄱ. 이것라야만 기계를 움직일 수 있다.
ㄴ. 살구씨라야만 여우를 잡을 수 있다.
ㄷ. 좋은 밥이라야만 큰 고기를 낚을 수 있다.

(4) 「-라야지」 : 「라야 하지」가 줄어든 말.

ㄱ. 스트렙프트 마인신이라야지 폐병을 고칠 수 있다.
ㄴ. 튼튼한 신체라야지 이길 수 있다.
ㄷ. 좋은 기술이라야지 이 기계를 고칠 수 있다.

(5) 「-야지」 : 「라야지」, 「아(어)야지」에서 「-라」, 「-아/어」가 탈락한 꼴.

ㄱ. CT 영상이라야지 범죄의 방법을 알 수 있다.
ㄴ. 확실한 증거야지 범인이 부정을 하지 못한다.

(6) 「-(이) 라야」 : 원인 근거의 어미

ㄱ. 명포수라야 호랑이를 잡을 수 있다.

ㄴ. 아인슈타인이라야 원자탄을 만들 수 있었다.

(7) 「-아서/어서」

ㄱ. 그는 독약을 먹어서 죽었다.

ㄴ. 너무 많이 먹어서 배탈이 났다.

ㄷ. 술을 너무 많이 마셔서 실수를 하였다.

ㄹ. 그는 총을 맞아서 죽었다.

(8) 「-다니」 : 「-다 하니」의 준말로 원인 근거 따위를 나타내는 연결어미

ㄱ. 구경이 좋다니 한 번 가 보세.

ㄴ. 거저 준다니 고마울 뿐이다.

ㄷ. 보았다니 말해 보렴.

ㄹ. 하겠다니 시켜 보자.

(9) 「-다니까」 : 「다 하니까」의 준 말로 원인 근거 따위를 힘주어 나타내는 연결어미

ㄱ. 구경이 좋다니까 한번 가 보세.

ㄴ. 거저 준다니까 고마울 뿐이다.

ㄷ. 보았다니까 어디 말해 보세.

ㄹ. 하겠다니까 시켜 보자.

ㅁ. 친구였다니까 믿어도 되겠지.

(10) 「-는 다니」 : 「-는다 하니」가 줄어든 말로 받침 있는 동사어간 에 붙어 원인 근거를 나타내는 연결어미.

ㄱ. 장사가 잘 된다니 기쁘다.

ㄴ. 네가 조국을 모른다니 그게 말이냐?

ㄷ. 네가 책을 읽는다니 놀랄 일이다.

ㄹ. 네가 이겼다니 상을 주겠다.

(11) 「노라니까」 : 「노라니」의 힘줌말

ㄱ. 가만히 보고 있노라니까 마음이 답답하다.

ㄴ. 무슨 소식이 있을까 바라노니 애만 탄다.

38. 담화법

(1) 「-다는」 : 「-다 하는」이 준말

ㄱ. 가겠다는 약속을 하였다.

ㄴ. 보았다는 사람이 많다.

ㄷ. 여기서 전개되었다는 광경은 참으로 대단하였단다.

ㄹ. 먹겠다는 사람은 많아도 일하겠다는 사람은 없다.

(2) 「-다는데」 : 「-다 하는데」의 준말

ㄱ. 그가 떠났다는데 집에 있겠나.

ㄴ. 그 곳이 아름답다는데 한번 가보자.

ㄷ. 그것이 사실이었다는데 정말 그렇더냐?

ㄹ. 철이가 이겼다는데 참으로 기쁘다.

(3) 「-다며」 : 「-다면서」의 준말

ㄱ. 그가 떠났다며 하는 이야기가…

ㄴ. 좀 작다며 입지 안는 옷.

ㄷ. 너도 같이 보았다며 말해 보아라.

(4) 「-다면서」 : 「-다 하면서」가 줄어든 말

ㄱ. 그를 만났다면서 하는 이야기가 기가 차더다.

ㄴ. 서로 친구였다면서 잘 안다고 하더라.

ㄷ. 지금 간다면서 급히 뛰어 나왔다.

(5) 「-ㄴ다며」 : 「-ㄴ다 하면서」의 준말

ㄱ. 간다며 밖으로 나갔다.

ㄴ. 무엇을 찾으러 간다며 급히 떠났다.

ㄷ. 그 일에 대하여는 모른다며 말을 하지 않았다.

ㄹ. 일자리를 찾는다며 나가 버렸다.

ㅁ. 지금 밥을 먹는다며 기다리라 하였다.

(6) 「-ㄴ다면서」 : 「-ㄴ다 하면서」의 준말로 동사 어간에 붙어 현재를 나타낸다.

ㄱ. 간다면서 밖으로 나갔다.

ㄴ. 공부를 한다면서 밖으로 나오지 아니한다.

ㄷ. 일자를 찾는다면서 서둘러 나갔다.

ㄹ. 전통을 잇는다면서 열심히 노력한다.

(7) 「-는답시고」: 「-ㄴ다 합시고」의 준 말로 「답시고」가 받침 없는 동사어간에 붙어 현재를 나타낸다.

ㄱ. 제가 잘 한답시고 뽐내더니만…

ㄴ. 제 딴에는 모양을 낸답시고 단장을 하고 나갔다.

ㄷ. 시합에서 이겼답시고 좋아하였다.

ㄹ. 시험에 합격하였답시고 으스대더라.

(8) 「-(ㄴ)대서」: 「-(ㄴ)다 해서」의 준말.

ㄱ. 그를 만난대서 부탁을 하였다.

ㄴ. 읽어 보겠대서 책을 빌려 주었다.

ㄷ. 그가 떠난대서 섭섭하였다.

ㄹ. 일이 잘 된대서 안심이 된다.

(9) 「-는대서야」: 「-ㄴ다 해서야」의 준말

ㄱ. 해가 서쪽에서 돈는대서야 미친 사람 취급을 하겠지.

ㄴ. 준대서야 얼마나 주겠니?

ㄷ. 오자마자 간대서야 안 될 말이다.

ㄹ. 가자마자 돌아온대서야 되겠느냐?

ㅁ. 그를 믿는대서야 좋아할 사람은 아무도 없다.

(10) 「-ㄴ대야」: 「-ㄴ다 해야」의 준말

ㄱ. 빨리 간대야 두 시간은 걸린다.

ㄴ. 먹는대야 얼마나 먹겠니?

ㄷ. 고기를 낚는대야 몇 마리나 낚을까?

ㄹ. 빨리 온대야 세 시간은 걸린다.

(11) 「-(는)댔자」: 「-ㄴ다 했자」의 준말

ㄱ. 간댔자 별 수 없다.

ㄴ. 준댔자 받지도 안할 걸.

ㄷ. 여기 있댔자 별수가 없을 것이다.

ㄹ. 월급을 받는댔자 얼마나 받겠나?

(12) 「-라며」: 「-라 면서」의 줄말

ㄱ. 날 오라며 하는 말이…

ㄴ. 아는 사람이라며 소개장을 써 주었다.

ㄷ. 여기 있으라며 말렸다.

ㄹ. 늦을라, 어서 가라며 재촉하였다.

ㅁ. 조용히 하라며 야단을 쳤다.

39. 유사(동일)법

(1) 「-듯」: 각 어간에 붙어 「비슷하거나」 같은 정도의 뜻을 나타내는 연결어미. 비유적으로 잘 쓰인다.

ㄱ. 비오듯 흐르는 눈물.

ㄴ. 불을 보듯 분명한 일.

ㄷ. 조는듯 꾸벅거리고 있다.

ㄹ. 부러운듯 바라본다.

ㅁ. 편지를 보는듯 마는듯 거드름만 피운다.

ㅂ. 밤하늘에 잔별이 많듯 이내 가슴에는 수심도 많다.

ㅅ. 자네가 알듯 내가 거짓말을 하던가?

(2) 「-듯이」: 「듯」의 힘줌말

ㄱ. 그 일은 불을 보듯이 분명하다.

ㄴ. 너도 알듯이 철이는 아주 착하다.

ㄷ. 구름에 달 가듯이 나그네가 가고 있다.

(3) 「-다시피」: 동사 어간 뒤에 붙어 「하는 바와 같이」의 뜻을 나타내는 어미

ㄱ. 매일같이 가다시피 하여 그를 도왔다.

ㄴ. 나는 뛰다시피 하면서 오솔길을 내려왔다.

ㄷ. 그는 놀다시피 일을 하여도 참으로 많이 한다.

ㄹ. 뛰다시피 걸어도 시간이 오래 걸렸다.

40. 미침법

(1) 「게」: 동사 어간에 붙어 어떤 목표나 행동의 미침을 나타내는 연결어미.

ㄱ. 꽃나무가 잘 자라게 거름을 준다.

ㄴ. 잘 보이게 문을 열어 놓아라.

ㄷ. 그를 믿게 말을 잘 하였다.

ㄹ. 배가 부르게 많이 먹어라.

ㅁ. 아름답게 핀 꽃.

(2) 「-게 끔」 : 「-게」의 힘줌말

ㄱ. 뒷탈이 없게끔 잘 하시오.

ㄴ. 맛있게 먹게끔 잘 차린 밥상.

ㄷ. 잘 놀게끔 마당을 잘 정리하였다.

ㄹ. 편안히 살게끔 집을 잘 지었다.

(3) 「-게시리」 : 게 끔

ㄱ. 뒷탈이 없게시리 잘 하시오.

ㄴ. 맛있게 먹게시리 잘 차린 음식.

ㄷ. 편안히 살게시리 집을 잘 지었다.

ㄹ. 그가 오게시리 잘 부탁하였다.

41. 무관법(불요법)

(1) 「-나마나 : 「-나 -않거나」의 뜻

ㄱ. 가나마다 상관하지 않겠다.

ㄴ. 더 알아 보나마나 그것은 사실이다.

ㄷ. 오나마나 나와는 관계 없다.

ㄹ. 밥을 먹으나마나 배가 부르지 아니하다.

42. 근거법

(1) 「-다가」 : 주로 동사 어간에 붙어 근거를 나타낸다.

ㄱ. 자꾸 놀다가 낙제라도 하면 일이다.

ㄴ. 그렇게 했다가 야단 맞을 라고.

ㄷ. 그냥 갔다가 비가 오면 어찌하나?

ㄹ. 친구를 믿다가 큰일 난다.

(2) 「-다가는」 : 「-다가」의 힘줌말. ㉫-단

ㄱ. 그렇게 놀다가는 낙제한다.

ㄴ. 성급히 굴다가는 일을 그르친다.

ㄷ. 그냥 있다가는 패배한다.

ㄹ. 그녀를 믿다가는 사기 당한다.

(3) 「-ㄹ세라」 : 근거나 까닭을 나타내는 어미.

ㄱ. 그는 모를세라 들은 척도 않고…

ㄴ. 잊을세라 잘 기록하여 두어라.

ㄷ. 아무나 믿을세라 주의를 잘 시켜라.

(4) 「-ㄹ새」 : 받침 없는 어간에 붙어 까닭이나 근거를 나타낸다.

ㄱ. 이윽고 돛을 올릴새 배가 미끄러러지듯 나아갔다.

ㄴ. 온 누리가 캄캄할새 더욱 적막하오.

ㄷ. 때는 봄일새 꽃 좋고 물 좋으오.

ㄹ. 그들이 달려갈새 아무것도 보이지 않았다.

(5) 「-을지니」 : 받침 없는 어간에 붙어 응당 "어떻게 할 것이니", "어떠할 것이니" 따위의 뜻으로 뒤의 사실에 대한 까닭 근거를 나타내

는 연결어미.

ㄱ. 내일 또 만날지니 그때 이야기를 계속하자.
ㄴ. 바닷가가 시원할지니 거기로 가자.
ㄷ. 그는 착한 사람일지 한번 사귀어 볼까.

(6) 「-느라고」: 동사 어간에 붙어 그 행동이 원인이나 근거로 됨을 나타내는 연결어미.

ㄱ. 자느라고 비 오는 줄도 몰랐다.
ㄴ. 공부하느라고 나다니지 않았다.
ㄷ. 노느라고 시간 가는 줄도 몰랐다.
ㄹ. 술을 마시느라고 실례하는 줄도 몰랐다.

(7) 「-고」: 각 어간에 붙어 쓰이면서 근거나 조건을 나타낸다.

ㄱ. 그렇게 놀고 합격하겠나?
ㄴ. 그의 말을 듣고 꾀를 내었다.
ㄷ. 너를 믿고 빌려 준다.
ㄹ. 약을 먹고 나았다.

(8) 「-노라니」: 동사 어간에 붙어 「-자(-려고) 하니」의 뜻으로 뜻함이나 근거 따위를 나타내는 연결어미. 좀 예스러운 뜻을 띤다.

ㄱ. 가만히 보고 있노라니 마음이 답답하다.
ㄴ. 무슨 소식이 있을까 바라노니 애만 탄다.
ㄷ. 술을 마시노라니 기분이 좋다.
ㄹ. 노래를 듣노라니 흥겹기 그지 없다.

(9) 「-다고」 : 원인 근거를 나타내는 연결어미의 하나. 동사와 "이다/아니다"의 경우는 때를 나타내는 선어말어미 뒤에 붙는다.

ㄱ. 젊다고 장담하지 말라.

ㄴ. 바쁘다고 몹시 서둘렀다.

ㄷ. 좀 안다고 그러느냐?

ㄹ. 떠들었다고 꾸중을 들었다.

ㅁ. 그게 거짓이었다고 몹시 분해하였다.

43. 전제법

(1) 「-거든」 : 어떤 사실의 전제로서 베풀어 놓는 뜻을 나타내는 연결어미.

ㄱ. 옛날에 한 사람이 있었거든 참 가난하면서도 착하게 살았단다.

ㄴ. 옛날에 한 효녀가 있었거든 그녀는 아버지를 위해 인당수에 몸을 던졌더란다.

ㄷ. 시골에 한 학자가 있거든 그는 굶어 가면서도 주역을 현대식으로 쉽게 풀어 아동들에게 가르친다고 한다.

44. 지적법(진술법)

(1) 「-라니」 : 「-라 하니」가 줄어든 말.

ㄱ. 사실이라니 믿어야지요.

ㄴ. 김군이라니 어느 김군 말인가?

ㄷ. 떡이라니 무슨 떡?

ㄹ. 그 거드렁거리는 꼴이라니 차마 눈 뜨고 못 보겠다.

ㅁ. 이제 와서 아니라니 될 말이냐?

(2) 「-라느니」: 「이다」, 「아니다」의 어간에 붙어 "이것"이라 하기도 하고 "저것"이라 하기도 함을 나타내는 연결어미.

ㄱ. 그것이 진짜라느니 가짜라느니 말도 많다.

ㄴ. 그는 애국자라느니 친일파라느니 서로 다툰다.

ㄷ. 네가 옳다느니 그가 옳다느니 장내가 시끄럽다.

(3) 「-라도」: 「이다/아니다」의 어간에 붙어 지적의 뜻을 나타내는 연결어미.

ㄱ. 아무리 훌륭한 사람이라도 한 두가지 결점은 있다.

ㄴ. 떡이라도 맛이 있는 게 있고 없는 게 있다.

ㄷ. 우등생이라도 모든 과목을 다 잘 하는 것은 아니다.

ㄹ. 값 비싼 물건이 아니라도 좋소.

(4) 「-이라서」: 「감히」, 「능히」 따위의 뜻이 포함된다.

ㄱ. 사람의 죽음을 뉘라서 막을쏘냐?

ㄴ. 어떤 사람이라서 이래라 저래라 하느냐?

ㄷ. 무슨 책이라서 값이 그렇게 비싸냐?

(5) 「-이라」: 「이라고」의 준말

ㄱ. 착한 사람이라(고) 할 만한 사람.

ㄴ. 이것을 무엇이라(고) 하오.

ㄷ. 여기가 어디라(고) 함부로 떠드느냐?

ㄹ. 이것은 귀중한 것이라 잘 간수 하여라.

ㅁ. 이것은 가보라 소중히 하여라.

(6) 「-ㅂ네」 : 받침 없는 동사나 「이다/아니다」에 붙어 쓰여 지적의 뜻을 나타내기도 한다.

ㄱ. 네 이것이 진짜입네 저것이 진짜입네 하니 어느것이 진짜인지 알 수가 없네.

ㄴ. 이것이 귀중한 유물입네 아닙네 서로 주장하니 정신이 없다.

45. 마땅함과 못마땅함

(1) 「-야」 : 「-아야」의 뜻으로 끝음절이 받침 없이 끝난 어간에 붙는 어미.

ㄱ. 가야 한다.

ㄴ. 약은 반드시 먹어야 한다.

ㄷ. 너는 마땅히 상을 받아야 한다.

ㄹ. 너는 이 모임에 꼭 참석하여야 뒷말이 없다.

(2) 「-아야만/어야만」 : 「-어야」의 강조한 말.

ㄱ. 여기서 기다려야만 한다.

ㄴ. 네가 당선되어야만 우리의 소원을 풀어 줄 텐데.

ㄷ. 이 약을 먹어야만 그 병은 낫는다.

(3) 「-랍시고」: 「이다/아니다」의 어간에 붙어 어떤 것이거나 아니라는 사실을 못마땅하게 여겨 빈정거리며 말할 때 쓰이는 연결어미.

ㄱ. 그가 좋은 것이랍시고 내놓은 것이란 좋은 것이 아니었다.

ㄴ. 너는 그 일에 나설 사람이 아니랍시고 딴전을 부릴 셈이냐?

ㄷ. 그는 자신이 잘난 사람이랍시고 떠들어 댄다.

(4) 「-(-ㄴ) 답시고」: 어떤 행동이나 상태 따위를 못마땅해 하며 말함을 나타내는 연결어미.

ㄱ. 제 딴은 잘한답시고 한 것이 그렇게 되었소.

ㄴ. 보았답시고 하는 말을 믿을 수가 없다.

ㄷ. 제가 하겠답시고 나서더니만 끝을 맺지 못했다.

ㄹ. 돈이 많답시고 자랑하더니만 한푼도 내 놓지 않았다.

46. 상태법

(1) 「-아/-어」: 「있다」와 이어져 그 상태(모양)의 지속성을 나타낸다. 단독으로 쓰일때는 상태를 나타내기도 한다.

ㄱ. 북악은 뒤에 솟아 있고 한강은 앞에 흘러 있다.

ㄴ. 길이 좁아 다니기 힘든다.

ㄷ. 여기가 풍경이 좋아 놀러 왔다.

ㄹ. 조용하여 기분이 좋다.

(2) 「-아서/-어서」: 연결어미 "아"에 보조사 「서」가 붙어 그 뜻을 더욱 분명하게 나타낸다.

ㄱ. 꽃이 아름다워서 참으로 분위기가 좋다.

ㄴ. 집이 넓어서 살기가 좋다.

ㄷ. 이곳은 공기가 맑아서 살기에 아주 좋다.

ㄹ. 들이 넓어서 농사 짓기가 좋다

47. 거만함법

(1) 「- ㅂ네」: 주로 받침 없는 동사나 「이다/아니다」의 어간에 붙어 어떤 사실을 들어 뽐내는 뜻의 어미.

ㄱ. 외국말이나 좀 할 줄 압네 하고 뽐낸다.

ㄴ. 그는 서울 사람입네 하고 거들거린다.

ㄷ. 그는 잘난 사람입네 하고 거만을 떤다.

48. 확실성법

(1) 「-ㄹ시」: 「이다/아니다」와 동사, 형용의 어간에 붙어 추측하는 사실이 틀림없음을 나타내는 연결어미.

ㄱ. 저 사람이 박군일시 분명하다.

ㄴ. 그의 잘못이 아닐시 확실하다.

ㄷ. 그 기색을 보니 뉘 집 찬장 속에서 도적하여 온 것일시 분명한 게다.

ㄹ. 그가 당선될시 틀림없다.

49. 경험법

(1) 「-(으) ㄹ작시변」: 받침 없는 동사 어간에 붙어 "그 행동에 이르게 되면"의 뜻을 나타내는 연결어미. 흔히 "보다"에 잘 붙고 우습거나 언짢은 경우에 잘 쓰인다.

ㄱ. 그 춤추는 꼴을 볼작시면 우스꽝스럽기 짝이 없다.
ㄴ. 일을 할작시면 다잡아 하여야지.
ㄷ. 이 글을 읽어 볼작시면 재미가 절로 난다.

(2) 「-던지」: 각 어간에 두루 붙어 지난 사실을 돌이켜 생각하여 나타내는 연결어미.

ㄱ. 얼마나 되었는지 기억이 아니 나나 그는 밥을 얼마나 먹던지 놀랐다.
ㄴ. 그는 언제나 거짓말을 잘 하던지 만나기 겁이 난다.
ㄷ. 여름에 거기에는 비가 어떻게 많이 오던지 살 수가 없더라.

50. 이행어미

(1) 「-노라고」: 종결어미 「노라」에 인용의 조사 「고」가 어울리어 "다고"보다 좀 예스러운 뜻을 나타내는 연결어미.

ㄱ. 일을 일찍 마치노라고 서둘렀다.

ㄴ. 논을 잘 가노라고 애를 썼다.

ㄷ. 거름을 잘 주노라고 정신을 많이 썼다.

(2) 「-느라고」: 동사 어간에 붙어 그 행동이 이행됨을 나타내는 어미.

ㄱ. 일을 하느라고 시간 가는 줄을 몰랐다.

ㄴ. 집을 짓느라고 연일 애를 쓴다.

ㄷ. 소를 잘 키우느라고 정성을 다하고 있다.

ㄹ. 일을 마치느라고 바빴다.

51. 인정법

(1) 「-을지언정」: 받침 없는 어간에 두루 붙어 그 움직임이나 상태 따위를 인정하고서 다른 사실을 들어 말할 때 쓰이는 연결어미. 「-을망」 정보다 더 다지는 뜻이 있다.

ㄱ. 내 차라리 계림의 개 돼지가 될지언정 왜왕의 신하로 부귀를 누리지 않겠다.

ㄴ. 생활이 어려울지언정 바르게 살고자 한다.

ㄷ. 죽을지언정 그런 짓은 안 한다.

(2) 「-ㄹ망정」: 받침 없는 어간에 두루 붙어 그 움직임이나 상태 따위를 인정하고 다른 사실을 들어 말할 때 쓰이는 연결어미.

ㄱ. 가난하게 살망정 마음만은 부자이다.

ㄴ. 몸은 허약할망정 마음은 굳다.

ㄷ. 박주산챌망정 없다 말고 내어라.

• 연결형어미 분류

1. 가정법

(1) −거든 (2) −노라면 (3) (−는)다손

(4) −더라도 (5) −더래도 (6) −더라면

(7) −더라손 (8) −던들 (9) ㄹ작시면

(10) −라손 (11) −런들 (12) 으면(은)

(13) −면(은)

2. 까닭법

(1) −거니 (2) −건대 (3) −거든

(4) −관대 (5) −기로 (6) −기에

(7) −길래 (8) −눈자러 (9) −노니

(10) −아/−어 (11) −아서/−어서 (12)−은지라

(13) −매 (14) −래서 (15) −(으)므로

(16) −으사 (17) −을새 (18) −을세라

(19) −은즉 (20) 니/−니까 (21) −더니

(22) −라서

3. 완료법

(1) −고 (2) −고서 (3) −아/−어

(4) 아서/−어서

4. 결과법

(1) −건대 (2) −ㄴ바 (3) −ㄴ즉

(4) -니/-니까 (5) -기에 (6) -던바
(7) -아서/-어서

5. 불구법

가. 사상불구법

(1) -지만 (2) -건마는 (3) -거니와
(4) -(으)나 (5) -(으)나마 (6) -는데(도)
(7) -는다마는 (8) -다마는 (9) -아도/-어도
(10) -거나/-거나-거나 (11) -언마는 (12) -지오마는

나. 추정불구법

(1) -(으)려니와 (2) -(으)ㄹ지라도 (3) -ㄹ지언정
(4) -(으)련마는

다. 양보불구법

(1) -(으)ㄴ들 (2) -(으)ㄹ망정 (3) -을지언정
(4) -은 듣 (5) -이라도 (6) -더라도

6. 나열법

① "이다"의 어간에 "랴~랴" 꼴로 거듭 쓰이어 무엇을 죽 들어 말함을 나타내는 연결어미
② 받침 없는 동사 오간에 "랴~랴"꼴로 거듭 쓰이어 이 일 저 일을 두루하고자 하는 뜻을 나타내는 연결어미
(2)-고 (3)-으니 (4) -다느니 (5)-며 (6)-이랑-이랑 (7)-이며-이며 (8)-입네-입네 (9)-이요(1)-거나-거나

7. 설명법

(1) -더니　　(2) -는바　　(3) -는대서
(4) -는대서야　　(5) -는다고　　(6) ~(이)라고
(7) -는다는데　　(8) -라는데　　(9) -던바
(10) -ㄹ새　　(11) -러니　　(12) -던데
(13) -더니마는　　(14) -ㄴ다면　　(15) ~노라니까
(16) ~노라고　　(17) ~이라며

8. 비교법

(1) -거든　　(2) -느니

9. 선택법

(1) -거나　　(2) 는다느니　　(3) -다느니
(4) -느니　　(5) -을까 -을까　　(6) -으나
(7) -든지　　(8) -든가　　(9) ~(으)라든지
(10) -느냐

10. 동시법

(1)-자

11. 중단법

(1) ~다가　　(2) -다　　(3) -다가는
(4) -다간　　(5) -단

12. 첨가법

(1) -고도　　(2) -고서도　　(3) -는데다(가)

(4) -을뿐더러 (5) -을뿐만아니라 (6) =-아도/-어도/-여도

13. 비례법

(1) -ㄹ수록 (2) -을수록

14. 의도법

(1) -(으)려더니 (2) -(으)려다가 (3) -(으)려도
(4) -(으)ㄹ래도 (5) -(이)려는데 (6) -(으)려는지
(7) -(으)려니와 (8) -ㄹ꼬 (9) -려다
(10) -(으)려면 (11) -으려니 (12) -려
(13) -ㄹ려야 (14) -ㄹ래야 (15) -(으)려거든
(16) -건대 (17) -(으)려기에 (18) -(으)려고
(19) -고자 (20) -자=-고자 (21) -(으)ㄹ까
(22) -(으)려서는 (23) -으려서야 (24) -리니
(25) -ㄴ다면

15. 의문법

(1) -길래 (2)-느냘 (3)-느냐고 (4)-는지
(5)-은지 (6)-을지 (7)-을는지 (8)-던지

16. 처지법

(1) -는데 있어서

17. 노력법

(1) - 으려야 (2) -다 -다

18. 아쉬운법

(1) -다니

19. 추정법

(1) -거니　(2) -기로　(3) -는댔자

(4) -려니　(5) -ㄹ지　(6) -ㄹ지나

(7) -리니　(8) -려나

(9) -ㄹ려니　(10) -련마는

(11) -을려니　(12) -을지니

(13) -을지나

20. 반복법

(1) -거니-거니　(2)-을락말락　(3) -을락

(4) -을락-을락

21. 병행법

(1) ~거니와

22. 거듭법

(1) -고　(2)-랴 -랴　(3) -으려니와

(4)-고(서도)도　(5) -ㅂ네

23. 진행법

(1)-면서　(2)-면서도　(3)-며

24. 강조법

(1) -고 (2) -디 (3) -으나

(4) -ㄴ즉 (5)ㄴ즉슨

25. 겸손법

(1) -ㄴ다마는 (2) -라야 (3) -으나마

(4) 으나마나 (5)-나마

26. 목적법

(1)-으러

27. 명령법

(1) -라고 (2) -라나 (3) -라니

(4) -라느니 (5) -라는데 (6) -라니까

(7) -라며 (8) -라면 (9) -라면서

(10) -자면서 (11) -래서 (12) -래서야

(13) -(으)라고 (14) -라 (15) -라

(16) -(으)라느니 (17) -라는데 (18) -라니

(19) -으래야

28. 시간법

(1)-ㄹ새

29. 도급법

(1) -도록

30. 겸양법

(1) -옵　　(2) -오　　(3) -와
(4) -사와　　(5) -사옵　　(6) -사오
(7) -옵시

31. 정도법

(1) -리만큼

32. 망설임법

(1) -ㄹ까말까

33. 조건법

(1) -거든/-건　　(2) -고　　(3) -으면
(4) -건대　　(5) -다며　　(6) -다면
(7) -다면서　　(8) -라야　　(9) -라야만
(10) -라야지　　(11) -ㄹ지니　　(12) -ㄹ진대
(13) -되　　(14) -으되　　(15) -을라치면
(16)-을진대　　(17) -을진대는　　(18) -아야
(19) -아야만

34. 강조법

(1) -고야　　(2) -고서　　(3) -고서야

35. 권유법

(1) -자느니　　(2) -자는데　　(3) -자니/-자니까
(4) -자면　　(5) -자면서　　(6) -자는

36. 수단방법법

(1)-다 (2) -아서 (3)-다가
(4) -고 (5)-고서 (6) 여

37. 원인, 근거법

(1) -라 (2) -라서 (3) -라야만
(4) -라야지 (5) -야지 (6) (이)라야
(7) -아서/-어서 (8) -다니 (9) -다니까
(10)-는다니 (11) -노라니까

38. 담화법

(1) -다는 (2) -다는데 (3) -다며
(4) -다면서 (5) -ㄴ다며 (6) -ㄴ다면서
(7) -는답시고 (8) -는(ㄴ)대서 (9) -는대서야
(10) -ㄴ대야 (11) -(는)댔자 (12)-라며

39. 유사(동일)법

(1) -듯 (2) -듯이 (3) -다시피

40. 미침법

(1) -게 (2)-게끔 (3) -게시리

41. 무관법

(1) -나마나

42. 근거법

(1)-다가 (2) 다가는 (3) -ㄹ세라

(4) -ㄹ새 (5) -을지니 (6) -느라고

(7) -고 (8) -노라니 (9) -다고

43.전제법

(1) -거든

44. 지적법

(1) -라니 (2) -라느니 (3) -라도

(4) -이라서 (5) -이라 (6) -ㅂ네

45. 마땅할법과 못마땅할법

(1)-야 (2) -아야만/-어야만 (3)-랍시고

(4) -(ㄴ)답시고

46. 상태법

(1) -아/-어 (2)-아세/-어서

47. 거만함법

(1) -ㅂ네

48. 확살성법

(1) ㄹ시

49. 경험법

(1) (으)ㄹ 작시면　(2) -던지

50. 이행법

(1) -노라고　　(2)-느라고

51. 인정법

(1) -을지언정　　(2) -ㄹ망정

21세기 국어의 굴곡법연구

초판 인쇄 2020년 10월 20일
초판 발행 2020년 10월 30일

지은이 김승곤 **|** **펴낸이** 박찬익 **|** **편집장** 한병순 **|** **책임편집** 정봉선
펴낸곳 ㈜ **박이정** **|** **주소** 경기도 하남시 조정대로45 미사센텀비즈 7층 F749호
전화 031) 792-1193 **|** **팩스** 02) 928-4683 **|** **홈페이지** www.pjbook.com
이메일 pijbook@naver.com **|** **등록** 2014년 8월 22일 제2020-000029호

ISBN 979-11-5848-486-6 93710

* 책값은 뒤표지에 있습니다.